国学经典

三字经
百家姓
千字文

王永宽 注译

中州古籍出版社

三字经
百家姓
千字文

前　言

　　本套丛书之名为"国学经典"，其"经典"一词的含义实际上包括了两方面的内容。第一是国学经典性原著，如《论语》、《孟子》、《老子》、《庄子》、《孙子兵法》、《史记》、《杜工部集》等，这些是中华传统文化的代表性典籍。第二是国学经典性启蒙读物，这就是本书所收入的《三字经》、《百家姓》、《千字文》，其他未收入的启蒙读物还有《鉴略》、《增广贤文》、《弟子规》、《女儿经》、《神童诗》、《幼学琼林》等。

　　在古代的经典性启蒙读物中，《三字经》、《百家姓》、《千字文》是最为普及、最具有代表性的三种，世俗或将它们并称为"三百千"。这三种读物中，《千字文》产生于南朝梁时，《百家姓》产生于北宋初，《三字经》产生于宋元之际，尽管产生的时代不同，到明代都已成为相当流行的启蒙读本。

　　明代景泰年间，韩雍巡抚江西时考试诸生，出题以"律吕调阳"为论，以"闰余成岁"为策，诸生不会答题，韩雍说："我们做秀才时，读了《百家姓》，便读《千字文》，诸生如何连《千字文》也不知？"（见韩邦奇《苑洛集》卷十九）嘉靖、隆庆时的黄佐撰作《泰泉乡礼》，其中卷三"乡校"一节云："或用《孝经》、《三字经》，不许先用《千字文》、《百家姓》、《幼学诗》、《神童诗》、《吏家文移》等书,以次读《大学》、《中庸》、《论语》、《孟子》,然后治经。"这里列举的乡校教材,《三字经》已是首选,《千字文》和《百家姓》也在常用教材之列。隆庆年间,首辅徐阶有一天在宫中遇见年方七八岁的太子朱翊钧(后来即位为万历皇帝),问他读什么书,这位小太子回答说,正在读《三字经》。(《元明事类钞》卷五"读三字经")万历年间,汤显祖撰作的《牡丹亭》中,石道姑上场自白云:"要还俗,《百家姓》上有俺一家;论出身,《千字文》中有俺数句。"(第十七出《道觋》)从这些材料可知,在明代的景泰至万历时,《三字经》、《百家姓》和《千字文》已经是普遍使用的启蒙教材。

到了清代,"三百千"更成为家喻户晓的儿童入学的启蒙课本。牛应之《雨窗消意录》中有《戏村学究》诗云:

漆黑茅柴屋半间,猪窝牛圈浴锅连。
牧童八九纵横坐,天地玄黄喊一年。

这里的"天地玄黄",是《千字文》的第一句。乡村私塾教师对于初入学就读的儿童,头一年中就只让他们读《千字文》。再看清梁绍壬《两般秋雨庵随笔》卷四所引郭臣尧《捧腹集》中的《村学诗》:

一阵乌鸦噪晚风,诸徒齐逞好喉咙。
赵钱孙李周吴郑,天地玄黄宇宙洪。
千字文完翻鉴略,百家姓毕理神童。
就中有个超群者,一日三行读大中。

这首诗的第三句,是《百家姓》的头两句"赵钱孙李,周吴郑王",用"藏词"的修辞手法省略了"王"字;第四句,是

《千字文》的头两句"天地玄黄,宇宙洪荒",用"藏词"的修辞手法省略了"荒"字。诗的第五句,是说《千字文》读完之后才能读《鉴略》;诗的第六句,是说《百家姓》读罢才能读《神童诗》。诗的第七、第八句,是说儿童中的个别出众者能读《大学》和《中庸》,也不过是一天读两三行而已。此诗是当时乡村学堂教学情况的生动写照,不仅描绘出孩子们念书时乱喊乱叫的神态,而且表明了当时儿童入学后所使用教材的先后顺序,《百家姓》和《千字文》是最先学习的两种。这里虽然没有提到《三字经》,但是《三字经》在清代仍然是启蒙类书籍中流行最广而且最为典型的一种,直到20世纪的民国时期,在农村的私塾学堂里还被用来作为儿童的启蒙教材,或者被俗称为"人之初"。

《千字文》是这三种经典启蒙读物中出现最早的一种。编者周兴嗣,南朝梁时人,籍贯为陈州项城(今河南项城),字思纂,流寓江南,梁武帝时授官为安成王国侍郎。梁武帝很赏识他的文才,常让他起草诏令或时文,其文撰成皆能让梁武帝满意。终官为给事中。他的著作有《皇帝实录》、《皇德记》、《起居注》、《职仪》等百余卷,但流传最广、影响最大的还数《千字文》。

据传说,梁武帝为了教自己的子侄辈识字,让人从东晋著名的书法家王羲之书写的碑帖中选出1000个通行的常用字,召来周兴嗣,让他把这些杂乱无章的字组织成一篇韵文。周兴嗣绞尽脑汁,苦熬通宵,编成这篇250句、总共有1000个不重复的字的四言诗。第二天,周兴嗣揽镜自照,昨天还是如墨染一般的黑发,一夜过后即白如霜雪。梁武帝看了此文之后非常满意,对周兴嗣给予了奖赏。

还有一种说法是，《千字文》的作者是与周兴嗣同时代的萧子范。明末清初顾炎武《日知录》卷二十一"千字文"一节云："萧子范传曰：'子范除大司马南平王，户曹属从事中郎，使制《千字文》，其辞甚美，命记室蔡薳注释之。'《唐书·经籍志》：'《千字文》一卷，萧子范撰，又一卷，周兴嗣撰。'是兴嗣所次者一《千字文》，而子范所制者又一《千字文》也？"这里顾炎武提出疑问，有可能是周兴嗣和萧子范各撰作一种《千字文》。此问题没有能够得到证明。因为后世只看到一种《千字文》，并被公认为是周兴嗣所撰，萧子范所撰的是什么样的《千字文》，与后世流行的是否为一种，只能存疑。

《千字文》组织工巧，句句成文，语意顺畅，内容丰富。其中关于天文地理、朝廷政治、为人处世、养性修身，以及名人事迹、成语典故、饮食起居、鸟兽虫鱼等，可以说是包括了当时的百科常识。而且，《千字文》对仗押韵，声调铿锵，读起来朗朗上口，儿童易诵易记。初入学读《千字文》，既识字又学知识，因此它在问世之后，历代都被采用为私塾教育的启蒙教材。

由于《千字文》的内容和形式都具有引人入胜的奇绝魅力，因而它在后世一直受到文士们的关注和喜爱。明代王世贞称赞《千字文》是"绝妙文章"。由于《千字文》本身是汇集的王羲之的书法，因此历代著名的书法家也都争相临摹或重书，如南朝陈释智永，唐代的欧阳询、虞世南、褚遂良、孙过庭、张旭、李阳冰、怀素，宋徽宗赵佶，元代的赵孟頫及明代的文征明等，都有《千字文》书法作品。清代乾隆年间编次并刻石的《三希堂法帖》，其中第一册中就有《千字文帖》。

由于《千字文》的流行与普及，因而它的注释本、续编或改编本在后世也屡见不鲜，诸如《千字文释义》、《千字文考略》、《续千字文》、《广易千字文》、《三续千字文注》等。清代后期太平天国革命时，洪秀全还曾亲自编写一种《千字文》识字课本，共276句，1104字，其内容宣传革命，是太平天国的儿童启蒙教科书。这说明《千字文》的影响甚为深远。

《百家姓》大约产生于北宋初，编撰者的姓名已不详。宋代王明清《玉照新志》卷五云：

> 如市井间所印《百家姓》，明清尝详考之，似是两浙钱氏有国时，小民所著。何则？其首云"赵钱孙李"，盖钱氏奉正朔，赵乃本朝国姓，所以钱次之；孙乃忠懿（钱俶）之正妃；又其次，则江南李氏。次句云"周吴郑王"，皆武肃（钱镠）而下后妃。

这里，据王明清的考证，《百家姓》的作者是五代吴越国的一位无名文士。自从后梁时钱镠被封为吴越国王，至后汉高祖时钱镠的孙子钱俶袭封；北宋建立后，钱俶归顺宋朝，奉行宋太祖的建隆、乾德、开宝及宋太宗的太平兴国年号，至太平兴国三年（978年）国废。而当时十国之一的南唐至宋太祖开宝八年（975年）国废。据此可大致断定，《百家姓》的作者即是吴越国人，《百家姓》的成书当在宋太祖建隆元年至开宝八年（960～975年）之间。

王明清的说法为后世学者信从。清代学者王相撰《百家姓考略》云：

> 《百家姓》出《兔园集》，乃宋初钱唐老儒所作。时钱俶据浙，故首赵次钱，孙乃俶妃，李谓南唐主也。次则国之大族。随口叶韵，挂漏实多，识者訾之。然传播至今，童蒙诵习，奉为典

册。乃就其所载，粗为笺注；方诸古今《姓苑》、《氏族》诸书。其犹射者之嚆矢也夫！琅琊王相题。

显然，王相采用了王明清《玉照新志》中的说法，进一步肯定《百家姓》的作者是"宋初钱唐老儒"。同时，王相还指出了《百家姓》流传广泛、影响较大的特点，并且也指出了《百家姓》的不足之处，这些看法都是比较客观和符合实际的。

《百家姓》共有568字，除末句"百家姓终"之外，共收姓氏504个，其中复姓60个。所收姓氏，包括了许多常见的大姓，但也收了一些非常罕见的偏僻小姓，如"能"、"农"、"有"、"赏"等姓。而在历史上及现实生活中较为常见的一些姓氏，如"曲"、"英"、"郓"、"过"、"谌"、"隋"、"甫"、"冒"等姓，以及复姓如"独孤"、"太史"、"仆固"、"邯郸"等姓，却在《百家姓》中难寻踪迹。

因此，《百家姓》只是较早编辑的姓氏普及本。而姓氏集成一类的著作在它之前已经出现，如唐代的《元和姓纂》收姓氏1520个。在《百家姓》之后，姓氏集成类书籍更是不断涌现，如宋代的《氏族略》收姓氏2368个，清代的《姓氏寻源》收姓氏4053个，当代著名姓氏专家袁义达先生主编的《中华姓氏大辞典》收姓氏11969个。此外，当代关于姓氏的工具书及研究著作也层出不穷。

尽管如此，最早出现的《百家姓》毕竟是独具特色的姓氏普及教科书。它对于姓氏知识与姓氏学的传播功不可没。后世文人一直对它非常关注，除用作儿童启蒙识字教材之外，还有不少人对它予以注释，或仿其体制进行续编。宋代已有采真子所编的《千姓编》一卷。明初洪武年间，又有吴沈编撰的《千家姓》，收姓氏1968个。明末黄周星有《百家姓新笺》一卷，对《百家姓》予以笺释。清康熙时有《康熙御制百家姓》一卷，又有王镛《百家姓庋词》一卷、丁晏《百家姓三编》一卷，都是由《百家姓》派生的各种读物。当代随着国学热的出现，《百家姓》再度受到重视，又出现了不少对于它的整理与解说类著作。

《三字经》的作者已难以考察清楚。明代后期赵南星《味檗斋遗书·教家二书序》中说："世所传《三字经》、《女儿经》者，皆不知谁氏所作。"可见在那时候，关于《三字经》的作者已没有确切的说法了。王相的《〈三字经〉训诂序》、陈灿的《增订发蒙〈三字经〉序》及屈大均《广东新语》提到《三字经》的作者，或说是王应麟，或说是粤中逸老，或说是区适，莫衷一是。民国年间金陵大学油印本的《三字经》序文说，此书的成书有一个过程，由王应麟初撰，区适改订，明代人黎贞续成。现在一般的说法是"相传为王应麟所撰"，或"世传为王应麟所撰"，用不肯定的语气来表述。

王应麟（1223~1296年），字伯厚，号厚斋，又号深宁居士。其祖先是汴州浚仪（今河南开封）人，北宋末年靖康之乱后南渡，侨居庆元（今浙江宁波）。王应麟幼年好学，南宋理宗淳祐元年（1241年）考中进士，曾官西安县（今浙江衢县）主簿。宝祐四年（1256年），他任考官，理宗让他主持复试，他极力赞扬文天祥的试卷，由理宗钦定文天祥为状元。南宋灭亡后，王应麟不肯做元朝的官，隐居潜心著述，元成宗元贞二年（1296年）去世，终年七十四岁。从王应麟的学识、人品及有充分时间从事著述这些情况来看，他撰作《三字经》是完全有可能的。

区适，字正叔，是南宋南海（今属广东）人，南宋末至元初在世。他幼年聪颖爽迈，撰作文辞即崭露头角，成年以后以博学多闻著称于世。后人说他撰作《三字经》或者是事出有因。

但是，清代流传的《三字经》，其内容涉及到元朝以后的内容，如"明太祖，久亲师，传建文，方四祀。迁北京，永乐嗣，迨崇祯，煤山逝"等语，显然是清代人增补的。可以肯定，《三字经》在流传过程中，必定经过后人的修订，逐渐成为今天人们看到的这样的面貌。

《三字经》是用三言诗的形式写成的，文字精练，语句通畅，读起来朗朗上口，易记易诵。它以尽可能少的文字表述尽可能多的内容，其中包括少年儿童勤学上进的道理，为人处世的原则，应当了解的关于传统文化的基本常识、必读书籍，关于历史演变的大体脉络以及历代名人刻苦好学的典型事例等，使最初接受启蒙教育的少年儿童能通过这本小册子即可了解儒家文化的主要观点和基本精神。近代著名学者章炳麟《重订〈三字经〉题辞》云："先举方名事类，次及经史诸子，所以启导蒙稚者略备。观其分别部居，不相杂厕，以较梁人所辑《千字文》，虽字有重复，辞无藻采，其启人知识过之。"这段话对《三字经》的特点与作用给予了充分的肯定，也是一种具有权威性的评价。

《三字经》在流传过程中曾产生了许多不同的版本。现在可以看到的最早版本是明刻赵南星的《三字经注》，流传最广的版本是王相的《三字经训诂》。另外，清代潘子声与贺兴思、朗轩氏的《三字经针度》与《三字经注解备要》，也是注解《三字经》的重要版本。清代还有车鼎贲、许印芳、蕉轩氏、王晋之、张谐之、周保璋，民国时期有章炳麟、刘松龄等人，不但注释《三字经》，对《三字经》的原文也有所订补。各种注释本都曾在民间流传或作为教材使用过，它们对于《三字经》的普及都起到了一定的作用。而且，《三字经》还曾被译成满文、蒙文，在国内其他民族中流传，当代还曾被译为英文、法文，流传至世界各地。1990年，新加坡教育出版社出版的新译英文本《三字经》，被联合国教科文组织选入儿童道德丛书，予以推广。可见，《三字经》在当代世界范围内仍然受到一定的重视。

由于《三字经》的广泛普及，人们对这种三言韵文的形式予以认同。于是，其他一些相似的读物便也采用这种形式进行编撰，如《女三字经》、《述史三字经》、《地理三字经》、《道教三字经》、《佛教三字经》、《医学三字经》、《西学三字经》、《工农三字经》、《军人三字经》等。对于《三字经》形式的模仿，正说明原书的原创形式具有民众喜闻乐见的特点，并且具有易读易记的优点。

《千字文》、《百家姓》和《三字经》是封建时代的文化成果，可以说它们浓缩了封建时代的文化常识。尤其是《千字文》和《三字经》，其中关于封建时代的纲常名教及伦理道德意识，带有浓厚的封建主义的思想烙印。随着历史的发展和社会的进步，在今天看来，这些是应当给予分析批判的，即站在今天的时代高度，运用马克思主义的辩证唯物主义和历史唯物主义的观点，批判其封建性糟粕，吸收其民主性精华，吸纳或借鉴其中积极的有意义的部分，为当代的文化建设和社会发展服务。

但是，今天的人们也应当理解，在古代封建主义的意识形态占统治地位的大背景下，《三字经》和《千字文》宣传封建纲常名教及伦理道德意识的做法，也是历史的必然，在那样的时代产生那样的启蒙读物完全是正常的现象。虽然如此，它们所承载的传授知识的功能、素质教育功能、智力开发功能等，却是应当给予充分肯定的。从这些启蒙读物中，我们可以了解封建时代文化思想和教育思想的基本状况，了解那个时代人们的精神追求和社会大众心态。尤其是其中关于一般文化知识的介绍，关于中国历史发展脉络的扼要表述，对于少年儿童了解中华文化，了解中国历史，可以说具有永恒的价值。从这方面来看，今天把这些经典性的启蒙读物重新加以整理并列入"国学经典"丛书正式出版，仍然是必要的和有益的。

  这次进行的整理工作，既面对当代的少年儿童读者，也面对当代社会上一般的大众读者。《三字经》，以民国流行的版本为底本，其中一些词语略加注释，对于每句原文略述大意。《千字文》的注释和释义也大抵如此。这样做，目的在于减少今天的读者尤其是少年儿童读者阅读的困难，而又不至于感到过于烦琐。而《百家姓》，则对每一个姓氏略述其源流，并列举古今该姓氏的著名人物。这样做，目的在于使今天的读者通过《百家姓》了解一些关于姓氏的基本知识。由于读者的文化层次不同，注解者在繁简层度的处理与掌握方面肯定难合众意，释文的表述也肯定难以尽善尽美，差错与疏漏亦在所难免，这些，诚恳地希望读者朋友们不吝赐教。

王永宽
2009 年 10 月

目 录

三字经 —————————————————— 15
百家姓 —————————————————— 67
千字文 —————————————————— 167

三字经

人之初， 性本善①。 **性相近， 习相远**②。

[注释]

①初：刚刚出生。"人之初"，是指人的个体生命的开始。关于人的本性是善还是恶，中国古代的思想家有不同的说法。孟子认为人性本善，荀子认为人性本恶，告子认为人的本性无所谓善恶，人性的善与恶都是后天形成的。②近：接近。习：学习。《论语·阳货》篇中说："子曰：性相近也，习相远也。"

[译文]

人在刚刚出生的时候，本性是善良的。出生之后，由于后天的学习，或者由于在特定的生活环境中受周围各种因素的影响，人与人相比较，其本来的天性就逐渐差得远了。

苟不教， 性乃迁①。 **教之道， 贵以专**②。

[注释]

①苟：假如。迁：迁移，引申为转变之意。②道：道理，这里可以解释为方法。专：专一。

[译文]

人如果不受教育,他的天性就要发生转变,而且这种转变往往是向不好的方面转变,很容易变得越来越坏。因此,育人之道,贵在专一。

昔孟母, 择邻处①, 子不学, 断机杼②。

[注释]

①孟母:孟子的母亲。处:居住。刘向《列女传·母仪》一节中,讲述了孟子的母亲迁居的故事。孟子小时候父亲死得早,母亲含辛茹苦地抚养他。他们原来住在墓地附近,孟子在玩耍时就模仿着大人办丧事。孟母觉得这样不利于孩子的成长,就把家迁到集市上,于是孟子在玩耍时就模仿着小商小贩做买卖。后来,孟母又把家迁到学堂旁边,这里每天看到的都是老师向学生传授知识、教习礼仪的情景,于是孟母高兴地说"真可以居吾子矣",就在这里安居下来。孟子能成为大思想家、大文学家,这与他所受到的母亲的教育和良好的学习环境有很大关系。②杼:古代织布机上引线的梭子。机杼二字连用指织布机,而在这里指织布机上的织物。刘向《列女传·邹孟轲母》一节中,讲述了孟子的母亲断机教子的故事。

[译文]

古时候,孟子的母亲选择合适的邻居而居住,为的是给儿子的学习提供一个良好的环境。有一天,孟子在学堂里不想学习了就提前跑回家,母亲取刀把刚织成的布割下来,对儿子说:"你荒废学业,就像这割断的布一样,岂不是半途而废了吗?"孟子听了母亲的话,从此以后学习非常用功。

窦燕山, 有义方①, 教五子, 名俱扬②。

[注释]

①窦燕山:即五代时期的窦禹钧,他的籍贯在幽州渔阳,此地在燕山一

带,后世称他为窦燕山。他在五代后周时曾官谏议大夫,人们又称他为窦谏议。范仲淹《窦谏议录》一文中记述了他的事迹,《五代史》中也有他的传记。义方:指做人的正道。②五子:即窦禹钧的五个儿子,先后登科做官,被人们称为"燕山窦氏五龙"。长子窦仪在后周时官翰林学士,入北宋后又官至礼部尚书。次子窦俨北宋初官至礼部侍郎。第四子窦偁北宋初官至左谏议大夫、参知政事。第三子窦侃、第五子窦僖也都位居显要。

[译文]

五代时候的窦禹钧教子有方。他的五个儿子窦仪、窦俨、窦侃、窦偁、窦僖,后来在宋朝都做了大官,声名显赫。

养不教①, 父之过; 教不严, 师之惰②。

[注释]

①养:抚养。养不教,意即对子女只重视养育而忽视教育。②惰:懒惰,这里的引申意义为失职。

[译文]

对于子女只养育而不教育,那是父亲的过失;对儿童进行教育而不严格要求,那是当老师的没有尽到责任。

子不学, 非所宜①。 幼不学, 老何为②?

[注释]

①宜:应当。②老:指年老,也取其相对于"少"的意义,指年龄大。何为:意思是干什么,古汉语中疑问代词作宾语时常常放在动词之前。

[译文]

人来到世上,不学习是不应当的。小时候不学习,长大后能干什么呢?

玉不琢, 不成器①; 人不学, 不知义②。

[注释]

①琢：雕琢。器：器物。"玉不琢，不成器"，出自《礼记·学记》篇。②义：道理。

[译文]

玉石不经过雕琢，就不能成为一件器物或工艺品；人不学习，就不明白道理，就不能成为有用的人才。

为人子， 方少时①， 亲师友， 习礼仪②。

[注释]

①方：正当。②礼仪：言谈举止的礼节和规范。

[译文]

人来到世间成为人之子，当年龄幼小、开始学习的时候，首先应当亲近老师和朋友，从日常礼仪学起。

香九龄， 能温席①。 孝于亲， 所当执②。

[注释]

①香：即黄香，字文强，东汉安陆人。《后汉书》记载，黄香九岁丧母，他对父亲极力尽孝。夏天炎热，为了让父亲睡好觉，他就用扇子把床席扇凉；冬天天寒，他就用身体先把床席暖热。当时舆论称赞他说："天下无双，江夏黄童。"他是中国古代著名的孝子，被列为"二十四孝"之一。②执：做事。当执，就是必须去做、责无旁贷的意思。

[译文]

东汉时候的黄香，九岁丧母，他对父亲极力尽孝，冬天用身体把父亲睡觉的床席暖热。对父母尽孝，这是儿女应当做的。

融四岁， 能让梨①。 弟于长， 宜先知②。

[注释]

①融：即孔融，东汉末年山东曲阜人，孔子的后裔。建安年间曾官北海（今山东昌乐、潍坊一带）相，后来被曹操所杀。《孔融家传》、《世说新语》等书记载孔融逸事，有一条说他共有兄弟七人，他排行第六，四岁时，和哥哥们一起吃客人带来的梨，他首先拿一个最小的。②长（zhǎng）：年长。宜先知：指应当首先明白谦让的道理。

[译文]

东汉末年的孔融，四岁时，家中来了客人，带来梨子给孩子们吃，孔融先拿一个最小的。兄弟姐妹之间，年幼的弟弟妹妹和年长一些的哥哥姐姐在一起时，要懂得谦让。

首孝弟， 次见闻①， 知某数， 识某文②。

[注释]

①弟：同"悌（tì）"，指兄弟之间的友爱。见闻：见到的和听到的，泛指各种知识。②知某数：指数数，掌握数字的概念。识某文：指识字，掌握文字的概念。

[译文]

小孩子开始学习，首先应当明白，对父母要孝敬，对兄弟姐妹要友爱，然后才是学习各种知识。先学识数，再学识字。

一而十， 十而百， 百而千， 千而万。

[译文]

学识数时，先学习从一数到十，再学习从十数到一百，再从一百知道一千，再从一千知道一万。

三才者， 天地人①。 三光者， 日月星②。

[注释]

①三才：古代的文化观念，把天、地、人称为三才。《易·说卦》云："昔者，圣人之作《易》也，将以顺性命之理。是以立天之道，曰阴与阳；立地之道，曰柔与刚；立人之道，曰仁与义。兼三才而两之，故易六画而成卦。"这几句话的意思是说：从前圣人创造《易》，是要用它来解析万物的特性及其发展变化的规律。因此，就确立这样的法则，天具有阴与阳两个方面，地具有柔与刚两个方面，人具有仁与义两个方面。天、地、人是构成世界的最基本的要素，称为"三才"，八卦的每一种卦体由三画组成，即是象征着这三才；每两种卦体互相搭配起来成为六画，组成六十四卦，里面当然也都包括着三才的要素。②三光：指人们可以用眼睛看到的天上三种发光的东西，即日、月、星。在古代的文化思想中，把日、月和五星称为三光，而五星是指金、木、水、火、土这五颗行星。但是，古代人们还认识不到行星不能发光，因此三光中的"星"可能泛指天上所有的星。

[译文]

古时候，说"三才"，是指天、地、人；说"三光"，是指日、月、星。

三纲者， 君臣义①， 父子亲， 夫妇顺②。

[注释]

①纲：指事物的主体。义：本为道义，这里可以解释为法度。古代所说的"三纲"，是指君臣、父子、夫妇之道。最早是西汉董仲舒提出来的，后来经过统治者的不断系统化而成为教条。《白虎通·三纲六纪》中说，三纲是指"君为臣纲，父为子纲，夫为妻纲"，这里所指的六种人——君、臣、父、子、夫、妻，称为六纪。六纪分为三组，即君臣、父子、夫妻，每一组中前者为阳，居于主导和决定的地位；后者为阴，居于辅助和服从的地位。三纲是封建伦理道德的重要内容，是限制人的社会地位、束缚人们思想意识的绳索。②亲：亲近。顺：顺从。

[译文]

古代封建宗法制度的思想观念中最基本的部分是三纲五常。所谓"三纲"是"君为臣纲，父为子纲，夫为妻纲"。即君臣之间要恪守一定的法度，君对于臣要依法任用，给予诚信与恩惠，臣对于君要尽力报效，忠于职守；父亲对儿子既要严厉又要慈爱，儿子对父亲既要服从又要亲近；夫妻之间要和顺融洽，相亲相爱。

曰春夏[①]，曰秋冬，此四时，运不穷[②]。

[注释]

①曰：这里可解为"所谓"。②运：运转。

[译文]

春、夏、秋、冬，这叫四时，周而复始地运转，无穷无尽。

曰南北，曰西东，此四方，应乎中。

[译文]

南、北、西、东，这叫四方，对于中央来说是四个不同的方向。

曰水火，木金土，此五行[①]，本乎数[②]。

[注释]

①五行：古代的文化观念，称水、火、木、金、土为五行，即是指世界上组成万物的五种物质要素。这种说法产生很早，《尚书·洪范》篇中就有记载。②数：数理。本乎数，是说五行的生成源于数学原理。《尚书·洪范》云："一曰水，二曰火，三曰木，四曰金，五曰土。"《易·系辞上》有更具体的说法："天一地二、天三地四、天五地六、天七地八、天九地十。""天数五，地数五，五五相得而各有合"。关于这里所说的天数、地数与五行的关系，唐代孔颖达《尚书注疏》的《洪范》篇中疏云："天一、地二、天三、地四、天五、地六、天七、地八、天九、地十，此即五行生成之数。天一生水，地二生火，天三生木，地四生金，天五生土，此其生数也。如此则阳无匹，阴

无偶,故地六成水,天七成火,地八成木,天九成金,地十成土。于是阴阳各有匹偶而物得成焉,故谓之成数也。"这一套理论,后人又不断进行发挥,大体是说,一、三、五、七、九这五个单数叫天数,二、四、六、八、十这五个双数叫地数;这十个数和五行的生成关系是"天一生水,地六成之;地二生火,天七成之;天三生木,地八成之;地四生金,天九成之;天五生土,地十成之"。

[译文]

水、火、木、金、土,这叫五行,是构成万物的基本要素,它们和数字有对应关系。

曰仁义, 礼智信, 此五常①, 不容紊②。

[注释]

①五常:指五种基本的德性。②紊:混乱不明。

[译文]

仁、义、礼、智、信,这叫"五常",也是古代封建宗法制度与思想观念的基本原则,不能错乱。

稻粱菽, 麦黍稷, 此六谷①, 人所食②。

[注释]

①稻:重要的粮食作物,有水稻和旱稻之分,当代仍然种植。粱:粮食作物,古代与粟同物而异名,当代称为谷子。菽:大豆。麦:大麦和小麦的合称,当代主要指小麦。黍:谷物名,北方称为黄米。稷:谷物名,或称为粢(zī)、穄(jì)、糜,古今所述形态不同,唐以前以粟为稷,唐以后以黍为稷,后世或认为黍和稷本是一种。②食(shí):以此为食物的意思。

[译文]

稻、粱、菽、麦、黍、稷,这叫六谷,后人认为黍和稷本是一种,所以也叫五谷,是人们的主要食粮,如俗语说"五谷杂粮"。

马牛羊，鸡犬豕，此六畜①，人所饲②。

[注释]

①豕：猪。中国饲养家畜具有非常悠久的历史，以马、牛、羊、鸡、犬、豕为六畜的说法，最早见于《左传·昭公二十五年》："为六畜、五牲、三牺以奉五味。"另外，《管子·牧民》一节中也记云："藏于不竭之府者，养桑麻、育六畜也。"可知在春秋时期驯养六畜已经是普遍的现象，并且成为民众生活中必不可少的内容了。②饲：饲养。

[译文]

马、牛、羊、鸡、犬、豕（猪），这叫六畜，是人们饲养的动物。

曰喜怒，曰哀惧，爱恶欲①，七情具②。

[注释]

①喜：高兴；怒：恼怒；哀：悲哀；惧：害怕；爱：喜爱；恶：憎厌；欲：欲望。②七情：即人们的七种情感。七情的提出，见《礼记·礼运》篇："何谓人情？喜、怒、哀、惧、爱、恶、欲，七者弗学而能。"其意思是说，这七种情感，是人们不必通过学习来达到的。

[译文]

喜、怒、哀、惧、爱、恶、欲，这叫七情，是人们先天就具有的七种情感。

匏土革，木石金，丝与竹①，乃八音②。

[注释]

①匏：即葫芦壳，指用它制作底座的乐器，如板胡、笙、竽等。土：指陶器类吹奏乐器，如埙等。革：指皮革蒙制的乐器，如各种类型的鼓。木：指硬质木板制作的乐器，如连板、梆子等。石：指用石或玉制作的乐器，如磬

等。金：指用金属制作的乐器，如锣、钹、编钟等。丝：指用丝弦发声的弹奏乐器，如琴、瑟等。竹：指用竹管制作的吹奏乐器，如笛、箫等。②八音：上述八种材质制成的乐器，称为八音。八音的提法，最早见于《尚书·尧典》："三载，四海遏密八音。"又说："八音克谐，无相夺伦，神人以和。"《礼记·春官·大师》一节也有"皆播之以八音"一句。前人注释儒家经典，在这些地方都有对八音的解说。

[译文]

匏、土、革、木、石、金、丝、竹，这八种材料分别制成的乐器所演奏的音乐，叫做八音。

高曾祖， 父而身， 身而子， 子而孙，
自子孙， 至玄曾， 乃九族①， 人之伦②。

[注释]

①九族：最早见于《尚书·尧典》中"以亲九族"一语，汉代儒家学者对九族的解释有两种说法。其一认为九族是指从自身算起上四代加下四代，《三字经》采取的就是这一种说法。其二认为九族包括异姓亲族，即父族四（父亲的父亲及子孙共四代）、母族三（母亲娘家的父母及子孙共三代）、妻族二（妻子娘家的父母及子女共二代）。《左传·桓公六年》中"亲其九族"一句后的注疏就采用这种说法。这里说"自子孙，至玄曾"，若按照从自身由近及远来排列的话，应该是"自子孙，至曾玄"，编者为了押韵而调整了顺序。②伦：这里指直系亲属的辈分次序。

[译文]

直系亲属关系中从自身算起的上四代和下四代，即高祖父母、曾祖父母、祖父母、父母、自身、子女、孙子孙女、曾孙子孙女、玄孙子孙女。这叫九族，是古人最看重的家族伦理关系。

父子恩， 夫妇从， 兄则友， 弟则恭，
长幼序， 友与朋①， 君则敬， 臣则忠。
此十义②， 人所同。

[注释]

①友与朋:《周礼·地官》"司谏"一段谈到朋友,前人疏引郑玄的话说:"同门曰朋,同志曰友。""同门"也称"同师"。实际上,从先秦时期起已将朋、友二字联用,即今所谓的朋友之意。如《论语·学而》篇中说:"与朋友交而不信乎?"②义:指儒家倡导的伦理道德准则,十义即是指父子、夫妇、兄弟、长幼、君臣这五组关系涉及的十种人应当恪守的准则。"十义"的提法出自《礼记·礼运》篇:"父慈,子孝,兄良,弟悌,夫义,妇听,长惠,幼顺,君仁,臣忠,十者,谓之十义。"

[译文]

《礼记》提出"十义",意思是:在父子关系中,父亲对子女要慈爱,子女对父亲要孝敬,父子之间要以亲情和恩义相结。在夫妇关系中,丈夫要深明大义,妻子要顺从丈夫。在兄弟关系中,兄长要品行端正良善,对弟弟要友爱,弟弟对兄长要尊重并服从。在长幼关系中,年长者对年幼者要予以爱护与照顾,年幼者对年长者要有礼貌,长幼相处要有一定的规矩。在君臣关系中,作为国君,对臣下要施与仁爱,作为臣子,对国君要尽忠效力。对于一个人来说,必然具有这十种人中的一定的身份,都应当遵从属于自己身份的道德规范。

凡训蒙①, 须讲究。 详训诂②, 明句读③。

[注释]

①训蒙:对儿童进行启蒙教育。②训诂(gǔ):解释古书的字义。《尔雅》中有《释诂》、《释训》两篇,晋代学者郭璞《尔雅序》说:"夫尔雅者,所以通诂训之指归。"后世就以训诂作为解释字义的一门学问。③句读(dòu):句指断句,读即逗,指文句中的停顿之处。

[译文]

在对儿童进行启蒙教育时,应当讲究方法。老师要教学生理解字的含义,要讲清楚阅读时应该在哪儿停顿、在哪儿断句。

为学者, 必有初, 小学终①, 至四书②。

[注释]

①小学:指古代所说的初期启蒙教育阶段,和今天的"小学"概念不同。小学终,即是说儿童的初等教育结束之后。②四书:古代教育规定的四种必读的儒家经典著作的总称,是古代儿童学习的入门教材,包括《论语》、《孟子》、《中庸》、《大学》。

[译文]

儿童入学后的学习,必须从最初阶段开始。"小学"阶段主要是识字,"小学"结束,过了识字关,才能开始学习"四书"。

论语者, 二十篇①, 群弟子②, 记善言③。

[注释]

①论语:书名,此书散记孔子及其弟子的言论与行事。二十篇:指《论语》一书共有二十章。②群弟子:指孔子的学生们。③记善言:指《论语》书中所记述的是精彩的、有教育意义的言论。

[译文]

《论语》一书有二十篇,这是孔子的学生记录整理的,是孔子所说的精彩的、有教育意义的言论。

孟子者①, 七篇止②, 讲道德, 说仁义。

[注释]

①孟子:作为人名即是孟轲,作为书名即是《孟子》,这里是指《孟子》一书。此书是记述孟子言行的著作,相传为孟子的学生万章、公孙丑等人纂辑,也有一说此书是孟子本人亲自编定的。②七篇:指古文《孟子》包括七篇。《汉书·艺文志》著录《孟子》为十一篇,其中《梁惠王》、《公孙丑》、

《滕文公》、《离娄》、《万章》、《告子》、《尽心》这七篇为内篇，另有《性善》、《辨文》、《说孝经》、《为政》四篇称为外篇。

[译文]

《孟子》是孟轲的著作，共有七篇，它的内容主要是谈论道德，宣扬仁义。

作中庸①，子思笔②，中不偏，庸不易③。

[注释]

①中庸：原是《礼记》中的一篇，南宋时，朱熹把它抽出来单独成书，列为"四书"之一。相传是孔子的孙子子思所作。②子思（前483?～前402年）：孔子的儿子鲤之子，名伋，曾为鲁缪公师。著有《子思》二十三篇，已佚。《礼记》中的《中庸》、《坊记》、《表记》、《缁衣》四篇相传为子思所作。③中：不偏不倚。庸：稳定不变。中庸是儒家理想的道德境界，此学说原来是孔子提出来的。《论语·雍也》篇中说："子曰：中庸之为德也，其至矣乎！民鲜久矣。"意思是说，中庸这种道德，应该是最高尚的，民众已经是很长时间缺乏它了。子思对其祖父的思想作了进一步的发挥，使它更加系统化了。

[译文]

《中庸》是《礼记》中的一篇，相传是孔子的孙子子思所作。"中"就是不偏不倚，"庸"就是稳定不变。

作大学①，乃曾子②，自修齐，至平治③。

[注释]

①大学：是《礼记》中的一篇，朱熹把它抽出来单独成书，列为"四书"之一。相传是孔子的学生曾子所作。②曾子（前505～前435年）：春秋时鲁国南武城（今山东费县境）人，名参，字子舆，孔子的学生之一。《汉书·艺文志》记其著作《曾子》十八篇，已佚。《大戴礼》中有十篇为曾子著

作。③修齐、平治：是《大学》中的名言"修身"、"齐家"、"治国"、"平天下"的缩语，通常简缩为"修齐治平"，这里为押韵而把次序改作"修齐"、"平治"。《大学》中说："古之欲明德于天下者，先治其国；欲治其国者，先齐其家；欲齐其家者，先修其身；欲修其身者，先正其心；欲正其心者，先诚其意，欲诚其意者，先致其知；致知在格物。"接着又说："物格而后知至，知至而后意诚，意诚而后心正，心正而后身修，身修而后家齐，家齐而后国治，国治而后天下平。"这里通过逆向和顺向两种逻辑思维，阐明儒家所主张的人生道路的八个步骤，即格物、致知、诚意、正心、修身、齐家、治国、平天下。若用当代汉语表达，其意思是：探究物理，掌握知识，真诚意念，端正内心，修炼品德，管好家族，治理国家，安定天下。前四个步骤是明德的内向涵养阶段，后四个步骤是外向作用阶段。

[译文]

《大学》是《礼记》中的一篇，相传是孔子的学生曾子所作。《大学》的基本内容，是从修身、齐家开始，到治国、平天下达到最高境界。

孝经①通， 四书熟， 如六经②， 始可读。

[注释]

①孝经：儒家的经典著作之一，主要内容是宣扬儒家所倡导的孝道和孝治思想。《孝经》的作者有几种说法。一是司马迁《史记·仲尼弟子列传》，说《孝经》是孔子的弟子曾子所作；二是汉代有人说，《孝经》是孔子为曾子讲述孝道，由曾子记录成文；三是后世有人认为，《孝经》是曾子的弟子或孟子的弟子所作。这几种说法，都缺乏有力的证据。当代一般人认为，《孝经》是战国后期儒家学者所作。②六经：儒家的六种经典文献，详细的解释见下节。

[译文]

还有《孝经》，也是应当通晓的。"四书"和《孝经》都读熟了，然后才能读"六经"。

诗书易， 礼春秋①， 号六经②， 当讲求。

[注释]

①诗书易，礼春秋：这六字是五种书名的简略。诗，即《诗经》；书，即《尚书》；易，即《易经》；礼，即《礼经》；春秋，即孔子所著史书《春秋》。②六经：指以上五种儒家经典著作。本来，儒家经典著作共六种，以上五种之外还加上"乐"，即《乐经》。先秦时期就已经有"六经"的说法。《庄子·天运》篇中说："丘治诗、书、礼、乐、易、春秋六经，自以为久矣。"汉代学者关于六经有不同的说法。一说其中的《乐经》本来不是单独的经书，它只是附在《诗经》后面的一种乐谱；另一种说法是《乐经》本来有书，秦始皇焚书坑儒时被烧毁而绝迹了。因此，西汉时开始称六经，或称六艺；后来就改称五经，如西汉时设有一种官职为"五经博士"。后来各朝代一般都说五经，如常见说"四书五经"等。这里说"号六经"，是沿用一种古老的说法。

[译文]

《诗经》、《尚书》、《易经》、《礼经》、《春秋》，这五种儒家经典著作，再加上《乐经》，称为"六经"，都必须读熟并认真钻研。

有连山①， 有归藏②， 有周易③， 三易详。

[注释]

①连山：《易经》的一种早期版本，即夏代的《易》。《周礼·春官·大卜》云："掌天易之法，一曰连山，二曰归藏，三曰周易。"东汉郑玄《易赞》和《易论》皆记云："夏曰连山，殷曰归藏，周曰周易。"《易经》的成书经过几代圣人之手，最早由伏羲创立八卦，夏代演为《连山》，殷商时演为《归藏》，到商周之际经周文王演为《周易》。《连山》和《归藏》这两种易到汉代还存在，后来就失传了。②归藏：《易经》的一种早期版本，即殷商时期的《易》，见前注。③周易：相传为周文王在前代《易经》的基础上加以推演变化而成，故名《周易》。司马迁《报任安书》中说"西伯拘而演《周易》"，

即指此事。

[译文]

《易经》的成书经过许多代。据说,《易》原来是伏羲所创,夏朝时的版本称为《连山》,商朝的版本称为《归藏》,商周之际经周文王推演变化又成为《周易》。夏、商、周三代之《易》,后人也称为"三易"。

有典谟, 有训诰, 有誓命①, 书之奥②。

[注释]

①典谟、训诰、誓命:指《尚书》的六种文体,即典、谟、训、诰、誓、命。汉代孔安国所作《尚书序》云:"典谟训诰誓命之文,凡百篇。"典,主要用于记述嘉言懿行和典章制度,如《尧典》、《舜典》。谟,主要记载大臣为君主谋划如何治理国家的事迹,如《大禹谟》、《皋陶谟》。训,主要记述贤臣训导君王的言行,如《伊训》。诰,是君王的政令,如《康诰》、《召诰》。誓,是君王讨伐叛逆时誓师的文辞,如《汤誓》、《泰誓》。命,是君王对大臣的训令,如《微子之命》、《文侯之命》。②书:即《尚书》,最早只称为《书》,成为儒家经典之后又称为《书经》。相传《尚书》是孔子编选的,但也有人认为孔子编选《尚书》的说法不可信。奥:指《尚书》的内容深奥精警。

[译文]

《尚书》中有典、谟、训、诰、誓、命六种文体,内容深奥而精辟。

我周公①, 作周礼②, 著六官③, 存治体。

[注释]

①周公:周文王之子、周武王之弟姬旦。他辅助武王灭纣,建立周朝,被封于鲁。后来武王死,成王年幼,周公曾一度摄政。②周礼:《礼经》的一种。本来,《礼经》指的是《仪礼》。《仪礼》是春秋、战国时期一部分礼仪制

度的汇编，原名为《礼》，到了汉代儒家的文献升格为经之后便称为《礼经》。西汉时期出现了《周礼》，又名《周官》，《汉书·艺文志》称之为《周官经》。《仪礼》、《周礼》、《礼记》并称为"三礼"，前二种为经，后一种为记。周朝的礼乐制度，相传都是周公所制定的，但是《周礼》一书并不是周公所作。这里说"我周公，作周礼"，是从周公制定周朝的礼仪制度这个意义上而言的。③六官：指《周礼》中的篇名《天官》、《地官》、《春官》、《夏官》、《秋官》、《冬官》，共六篇，故称为"六官"。西汉时期，河间献王得到一部《周官》，其中缺《冬官》一篇，就补以《考工记》，成为《周礼》的一种版本。

[译文]

《礼经》包括《仪礼》、《周礼》、《礼记》三种，称为"三礼"。周朝的礼乐制度相传都是周公制定的，但是《周礼》一书不是周公所著，它在西汉时才出现，又称《周官经》。其内容是关于周朝礼仪制度的文献资料。

大小戴①，注礼记②，述圣言，礼乐备。

[注释]

①大小戴：指西汉时著名经学家戴德、戴圣叔侄二人。戴德，字延君，曾官信都太傅。戴圣，字次君，戴德兄之子，汉宣帝时为博士，后官至九江太守。戴德、戴圣同拜经学家后仓为师，学习《礼记》，后来，他们各自对礼记重新编定，并作注解。②礼记：是对《仪礼》进行阐释补充的著作。戴德编定的《礼记》共85篇，称为《大戴礼记》；其侄戴圣把《大戴礼记》删定为46篇，称为《小戴礼记》。关于《礼记》的作者，现在所能知道的是，《中庸》为孔子的孙子孔伋（子思）所作，《缁衣》为公孙尼子所作，《月令》为吕不韦所作，《王制》为汉文帝时的博士所作。其他各篇的作者和写作时间都难以查考了。

[译文]

西汉时戴德编定《大戴礼记》，其侄戴圣编定《小戴礼记》，

三字经 33

这是《礼记》的两种重要版本。后世所说的《礼记》，一般情况下是指《小戴礼记》。《礼记》记载的圣人论述和典章制度相当完备。

曰国风，曰雅颂①，号四诗②，当讽咏。

[注释]

①国风、雅、颂：《诗经》的三部分，或称为三种体格。国风有周南、召南、卫风、郑风等；雅又分为小雅、大雅；颂有周颂、鲁颂、商颂。"国风"指当时诸侯所辖各地域的乐曲，实际上是相对于周天子京都而言的地方土风乐歌，犹如今天所谓的地方小调。"雅"大体上是周王畿乐歌。"雅"是正之意，雅乐即正乐，是相对于地方乐歌而言的。"颂"是宗庙乐歌，用以颂扬先祖先王的功德，乐调较风、雅和缓。此外，《小雅》还附录有六篇题目，但无诗，后人称之为"笙诗"。②四诗：《诗经》中风、雅、颂三部分中再把雅分为小雅和大雅则成为四部分，称为四诗。唐代许尧佐《五经阁赋》中有句云"虞夏商周之五典，国风雅颂之四诗"，可见唐代已经有四诗的说法。宋代有文士对对联，某人出下联为"三才天地人"，让对出上联，一文士就对以"四诗风雅颂"，极其巧妙。

[译文]

《诗经》中有"国风"、"大雅"、"小雅"、"颂"四部分，称为"四诗"，都是可以讽咏的诗歌佳作。

诗既亡，春秋作①，寓褒贬，别善恶②。

[注释]

①诗既亡，春秋作：这是孟子的话。《孟子·离娄下》篇中云："王者之迹熄而诗亡，诗亡而后《春秋》作。"意思是说，东周时期王者政教号令的事迹都泯灭了，朝会宴飨规谏劝纳的也没有了，许多评议朝政、揭露时弊的诗歌都失传了，《诗经》中保留下来的只是一小部分。于是，孔子就撰作《春秋》，接续《诗经》中贬恶扬善的宗旨。《春秋》，是孔子据鲁国历史修订而成的编年体史书。所记史实，起于鲁隐公元年（前722年），止于鲁哀公十四年（前

481年），共242年。于是古代典籍称《春秋》所记的这个历史时期为春秋时代。当代学术界以周平王东迁洛邑到韩、赵、魏三家分晋（前771～前475年）为春秋时代，与孔子《春秋》一书所记的历史时期不同。②寓褒贬，别善恶：此二句是对《春秋》一书特点的概括。《春秋》叙事极其简略，但微言大义，对所记史实的是非善恶有褒有贬，批评尖锐，观点鲜明。《孟子·滕文公下》篇中说："孔子成《春秋》而乱臣贼子惧。"因此，后世将某些历史著作中褒贬分明的写法称为"春秋笔法"。

[译文]

孟子云"诗亡而后《春秋》作"，是说东周时期许多评议朝政、揭露时弊的诗歌都失传了，《诗经》中保留下来的只是一小部分，于是孔子就撰著《春秋》，体现褒忠贬奸、扬善惩恶的宗旨。

三传①者，有公羊②，有左氏③，有穀梁④。

[注释]

①三传：阐释《春秋》的三种重要著作，即《春秋公羊传》、《春秋左传》、《春秋穀梁传》。②公羊：即《春秋公羊传》，或称《公羊春秋》，相传为战国时齐人公羊高所著，最初只有口头流传，汉初才成书。③左氏：即《春秋左传》，也称《春秋左氏传》或《左氏春秋》，相传为春秋时期鲁国左丘明所著。其记载起于鲁隐公元年（前722年）止于鲁悼公四年（前463年）这260年的史实。所记内容比《春秋》要详细得多，而且保存了一些古代的传说。④穀梁：即《春秋穀梁传》，战国时期穀梁赤所著。

[译文]

孔子撰成《春秋》之后，出现了三种阐释《春秋》的著作，称为"春秋三传"，即《春秋公羊传》、《春秋左传》和《春秋穀梁传》。

经既明，方读子①，撮其要②，记其事。

[注释]

①子：指诸子百家的著作，如《老子》、《庄子》、《墨子》、《韩非子》等。子，又称子书，西汉时期指六经之外凡是著书立说成一家之言的那些著作。班固《汉书·艺文志》对于书籍的分类有"诸子"一类。到《隋书·经籍志》中把书籍分为经、史、子、集四部，后来各代相沿未变，成为古代通行的图书分类方法。②撮：提取。要：要点。

[译文]

儒家经典文献弄明白之后，才可以进一步阅读诸子百家著作。由于诸子书籍太多，难以读完，更难全部掌握，因此，对于每一种，应当着重了解其要点，记住其中所记载的一些重要史实。

五子者①， 有荀扬②， 文中子③， 及老庄④。

[注释]

①五子：诸子百家中有代表性的五位。以下所指五子是荀况、扬雄、王通、老子、庄子，这是《三字经》作者的看法。②荀扬：荀况和扬雄。荀况（前313～前238年），战国时期赵国人，学者尊称他为荀卿。曾游学于齐，后至楚国，春申君任用他为兰陵令。著作有《荀子》三十二篇。扬雄（前58～18年），字子云，西汉蜀郡成都人。擅长词赋，多模仿司马相如。王莽篡政时，扬雄被拜为侍郎，校书于天禄阁，因事被株连，投阁自杀，几乎送命。著作有《太玄法言》、《方言》等。③文中子：即王通（584～618年），隋代绛州龙门人，字仲淹，唐初著名文学家王勃的祖父。曾官蜀郡司户书佐，后弃官归家，以讲学为业。他仿《春秋》体例著《元经》，已佚；又仿孔子《家语》、扬雄《法言》体例著《中说》，今存。他去世之后，其门人薛收等议谥为"文中子"。④老庄：即老子和庄子。老子是道家的创始人，姓李名耳，字聃。生卒年不详，生活时代略早于孔子和庄子，楚国苦县厉乡曲仁里（今河南鹿邑县内）人。曾任周守藏史。所著《道德经》是道家经典著作。庄子（前369？～前286？年），名周，战国中期宋国蒙（今河南商丘）人。曾在家乡做过漆园小吏，后来楚威王曾遣使迎他为相，他未肯前往，终身不仕。著《庄子》一书，其学

说本于老子，又有所发展，因此与老子并称为老庄。

[译文]

诸子百家中，有代表性是五位是荀子、扬子、文中子、老子、庄子。这是《三字经》作者的看法，其实要在诸子中选出五位最重要或最典型的，人们一定会有不同的认识。

经子通[①]，读诸史[②]，考世系[③]，知终始[④]。

[注释]

①经子：即"经"和"子"，指儒家经典著作和诸子百家著作。②诸史：各种历史著作。首先是指各朝正史。先秦时期，正史即是被列入经书的《尚书》、《春秋》以及阐释《春秋》的"春秋三传"。从汉代的《史记》、《汉书》起，每一个朝代结束之后，后一个朝代都要为前朝修史，这已经成为历代相沿的成规。宋朝时称前朝正史为"十七史"，即《史记》、《汉书》、《后汉书》、《三国志》、《晋书》、《宋书》、《南齐书》、《梁书》、《陈书》、《魏书》、《北齐书》、《周书》、《隋书》、《南史》、《北史》、《唐书》(《新唐书》)、《五代史》(《新五代史》)。明代时，在"十七史"的基础上加《宋史》、《辽史》、《金史》、《元史》四种，称为"二十一史"。清代前期，再加《明史》，称"二十二史"。清乾隆四年（1739年），又增加《旧唐书》、《旧五代史》，称"二十四史"，由武英殿刊行，成为一种钦定的权威的说法。直到当代，"二十四史"的说法仍然比较流行。民国年间，学界又有"二十五史"（再加《清史稿》）、"二十六史"（再加《新元史》）的说法。③世系：指朝代传承的系统，古代史书中有"帝王世系"、"宰相世系"等。④终始：指历代王朝兴亡的始末。

[译文]

儒家经典著作和诸子百家著作都通晓了，再来读各种史书，考察历代帝王传承的世系，熟悉历代王朝更替的始末。

自羲农[①]，至黄帝[②]，号三皇[③]，居上世。

[注释]

①羲农：即伏羲和神农。伏羲，即太昊氏，古史记载他和女娲为兄妹。神农，即炎帝，传说中中华民族的始祖。②黄帝：即轩辕氏，传说中中华民族的始祖。③三皇：指古代传说中的三位帝王。但是，三皇究竟指哪三位帝王，历代说法不一致。"三皇"一词最早见于《周官·春官·外史》："掌三皇五帝之书。"这里没有明言所指为哪三位，于是后人就有不同的理解。汉代孔安国《尚书序》和皇甫谧《帝王世纪》谓伏羲、神农、黄帝为三皇，《史记·秦始皇本纪》说天皇、地皇、泰皇为三皇，《白虎通》说伏羲、神农、祝融为三皇，《艺文类聚》卷十一引《春秋纬》说天皇、地皇、人皇为三皇。《三字经》作者采用的是孔安国和皇甫谧的说法。

[译文]

从伏羲太昊氏、炎帝神农氏到黄帝轩辕氏，称为"三皇"，他们是远古时期的三个著名帝王。

唐有虞， 号二帝①， 相揖逊②， 称盛世。

[注释]

①唐有虞：指五帝中的唐尧和虞舜。尧是帝喾之子，姓伊祁，也作伊耆，名放勋，初封于陶，后封于唐，故号陶唐氏，后世称之为唐尧，或简称尧。舜是颛顼的后代，姓姚，称有虞氏，名重华，后世称之为虞舜，或简称舜。二帝：即尧和舜的并称。《汉书·扬雄传》中就已经有这一词："以为昔在二帝三王……财足以奉郊庙，御宾客，充庖厨而已。"②相揖逊：互相讲究礼让和谦逊之风，指尧和舜时是把王位禅让给贤者担任的。

[译文]

唐尧和虞舜称为"二帝"，他们讲究礼让和谦逊之风，都愿意把王位让给贤能者担任，尧让位给舜，舜又让位给禹。尧、舜在位的时代，可以说是远古时期的太平盛世。

夏有禹， 商有汤①， 周文武， 称三王②。

[注释]

①禹：传说中的古代部落首领，即大禹，他治水有功，深受民众爱戴。禹死后，他的儿子启承袭王位，建立夏朝，因为禹和启毕竟是一家，后人也就把禹算成是夏朝的开国君主了。汤：即商朝的开国君主成汤。②周文武：即周朝的开国君主周文王和周武王。三王：指夏、商、周三代的开国君主，周文王和周武王只能算一位。三王的说法先秦时期就有了，商鞅《商君书·错法》篇中说："三王五霸，其所道不过爵禄，而功相万者，其所道明也。"汉代时又以"二帝三王"并称，见《汉书·扬雄传》。

[译文]

夏朝的开国君主禹，商朝的开国君主汤，周朝的开国君主周文王和周武王（两人算一位），在历史上称为"三王"。

夏传子， 家天下①， 四百载， 迁夏社②。

[注释]

①夏传子：指从夏朝开始把王位传给儿子。家天下：意思是把天下当成了一个家族的私产。②四百载，迁夏社：指过了四百年，夏朝的皇权发生了转移。从禹开始，夏朝总共存在了470年，所谓四百载，是取其整数而已。社，社稷，即国家政权。

[译文]

夏禹死后传位给儿子启，于是夏朝就成了一家一姓的天下，后世称之为"家天下"。经过大约四百年，夏朝灭亡。

汤伐夏①， 国号商， 六百载， 至纣亡②。

[注释]

①汤伐夏：指成汤讨伐夏朝最后一位国君夏桀（履癸）。②纣：即殷商最后一位国君纣王（帝辛）。商朝灭夏在公元前1600年，周武王灭纣在公元前1046年，商朝总共存在了550多年，这里说六百载，是取其约数而已。

[译文]

商汤讨伐夏桀，灭掉夏朝，建立商朝。经过大约六百年，到殷纣王时殷商灭亡。

周武王， 始诛纣①， 八百载， 最长久②。

[注释]

①周武王：即周文王姬昌的儿子姬发。他完成了灭殷的大业，建立了周朝。诛：杀。殷纣王实际上不是被周武王杀死的，是在皇宫中燃火自焚而死的。②八百载，最长久：是说周朝在中国历史上同各个朝代相比，存在的时间最为长久。《史记·周本纪》记载有周朝世系，前一段在历史上称为西周，总计276年；后一段，从周平王东迁洛邑算起直至周朝灭亡为止（周朝末代王周赧王崩于公元前256年，此后周朝又延续几年，公元前249年为秦所灭），总计为522年。这样，西周和东周加起来总计为798年。这里说"八百载，最长久"，是取其约数而已。

[译文]

周武王起兵讨伐殷商，纣王兵败后在宫中自焚而死。周朝建国后经过大约八百年，在中国历史上是最长久的一个朝代。

周辙东①， 王纲坠②， 逞干戈③， 尚游说④。

[注释]

①周辙东：指周王朝把国都迁到洛阳。西周末期，周朝的都城在镐京（今陕西西安西南），因周幽王"烽火戏诸侯"酿成悲剧，犬戎攻破镐京，烧杀抢掠，镐京成为一片废墟，周幽王被乱兵所杀。幽王的儿子宜臼继承王位，就是周平王，他听从臣下建议，把国都向东迁到洛邑，即今洛阳。此后，周朝在历史上就被称为东周。②王纲：指周朝的中央皇权。坠：坠落。③逞：显示、炫耀之意。干戈：干是盾牌，戈是长矛，干戈代指军事力量。④游说（shuì）：指谋士们往来于各诸侯国之间，凭口才劝说这些国家的国君接受他们

的主张。东周时，这种游说之风特盛。

[译文]

周平王把周朝国都向东迁到洛阳，历史上称为东周。从此以后，周王朝的中央皇权明显地削弱了，各诸侯国的力量则越来越强大。诸侯国之间各逞武力，战争不断。同时，舌辩之士在列国之间穿梭往来，或宣扬政治主张，或施展军事谋略，游说之风盛行。

始春秋， 终战国①， 五霸强②， 七雄出③。

[注释]

①春秋：指东周的前一段历史，称为春秋时期。当代的说法是从公元前771年周平王东迁到公元前475年韩、赵、魏三家分晋为止。战国：指东周的后一段历史，称为战国时期，即从赵襄子元年（前475年）起到秦朝灭掉六国（前221年）为止。始春秋，终战国，指整个东周时期。②五霸：指春秋时期先后有齐桓公、秦穆公、宋襄公、晋文公、楚庄王称霸，后世称之为"春秋五霸"。③七雄：指战国时期有齐、楚、燕、韩、赵、魏、秦七个大国，后世称之为"战国七雄"。其实，战国时期并非只有这七个大国，其他还有一些诸侯国陆续存在了一段时间，如晋国实际上存在到公元前376年，郑国存在到公元前375年被韩所灭，宋国存在到公元前286年被楚所灭，中山国存在到公元前296年被赵所灭。卫国存在时间最长，公元前209年才被秦国灭掉。

[译文]

从春秋时期的开始，到战国时期的结束，这在历史上叫做东周。春秋时期先后有齐桓公、秦穆公、宋襄公、晋文公、楚庄王这五霸争强；战国时期主要有齐、楚、燕、韩、赵、魏、秦这七个大国争雄。

嬴秦氏， 始兼并①， 传二世， 楚汉争②。

[注释]

①嬴：秦国国君的姓氏。兼并：指秦朝先后灭掉六国。公元前246年，

秦王嬴政即位，这时，秦国的政治影响及经济、军事实力都已经非常强大，对于六国的任何一国来说都占压倒的优势；加上秦王嬴政本人的雄才大略和包容寰宇的政治志向，于是开始发动吞并六国的战争。秦王嬴政十七年（前230年）灭掉韩国，二十二年（前225年）灭掉魏国，二十四年（前223年）灭掉楚国，二十五年（前222年）灭掉赵、燕两国，二十六年（前221年）灭掉六国中最后一个齐国，全国实现了统一。②二世：即秦始皇之子、大秦帝国第二代皇帝胡亥。传二世，指秦朝只传了两代，秦国就灭亡了。楚：指项羽，他曾自封为西楚霸王。汉：指刘邦，他曾被项羽封为汉王。

[译文]

公元前246年秦王嬴政即位后，开始发动吞并六国的战争，至公元前221年统一中国，秦王自称始皇帝。秦始皇死后，他的儿子胡亥继承帝位，称秦二世，这时发生了全国性的大动乱。全国各地的反秦起义军逐渐形成两支最强大的力量，即西楚霸王项羽和汉王刘邦，于是楚、汉之间为争夺天下进行了激烈的战争。

高祖兴，　汉业建①，　至孝平，　王莽篡②。

[注释]

①高祖：即汉朝的开国皇帝刘邦，公元前206年~前195年在位。汉业建：建立了汉朝的基业。②孝平：即西汉最后一个皇帝汉平帝。王莽：字巨君，汉元帝的皇后之侄，他篡夺了汉朝政权。

[译文]

汉高祖刘邦消灭了项羽，建立了汉朝。到西汉末年汉平帝时，王莽篡夺了汉朝政权，改国号为"新"。

光武兴，　为东汉①，　四百年，　终于献②。

[注释]

①光武：即汉光武帝刘秀，他灭掉了王莽政权，建立了东汉王朝，公元

25~57年在位。刘邦建立的汉朝，都城长安在西边，历史上称为西汉；刘秀复兴汉朝，都城洛阳在东边，历史上称为东汉。②终于献：整个汉朝的历史，若从刘邦在位（前206年）算起，直到汉献帝亡国（220年）为止，总计为426年，如果除去王莽的新朝15年，实有411年。《三字经》说"四百年"，是取其整数而言。

[译文]

刘秀起兵推翻了王莽的统治，复兴汉朝，历史上称为东汉。刘秀就是汉光武帝。西汉和东汉总共411年，到了汉献帝时，东汉灭亡。

魏蜀吴，争汉鼎①，号三国，迄两晋②。

[注释]

①魏、蜀、吴：朝代名。公元220年，曹操之子曹丕在洛阳废黜汉献帝，登极称帝，国号魏，历史上又称为"曹魏"。公元221年，刘备在成都称帝，国号汉，历史上称为"蜀"或"蜀汉"。公元222年，孙权在建业称帝，国号吴，历史上称为"孙吴"或"东吴"。鼎：周朝曾铸造九鼎，作为国家最高统治权的象征。魏、蜀、吴各自建国，他们都想得到汉朝对于全国的统治权，所以说是"争汉鼎"。三国鼎立的格局持续了40多年。②两晋：魏国后期，司马氏夺取曹魏政权，公元263年灭掉蜀国，公元265年，司马昭之子司马炎建立晋朝，又于280年灭掉吴，再次统一中国，都城在洛阳，历史上称为西晋。西晋灭亡后，公元316年，逃到江南的司马氏王室建立的晋朝，都城在建康（今南京），历史上称为东晋。西晋和东晋简称为"两晋"，连续计算起来，总共156年。

[译文]

东汉末年，军阀混战，结果曹丕建立了魏国，刘备建立了蜀汉，孙权建立了吴国，他们都想得到汉家天下。这一时期，历史上称为三国时期。三国之后的朝代是西晋和东晋，历史上称为"两晋"。

宋齐继， 梁陈承①， 为南朝， 都金陵②。

[注释]

①宋、齐、梁、陈：东晋之后中国南方依次相传的四个朝代。公元420年，刘裕取代东晋称帝，国号宋，历史上称为"刘宋"。公元479年，萧道成夺取刘宋政权，改国号为齐，历史上称为"南齐"。公元502年，萧衍灭南齐，建立梁朝。公元557年，控制了梁朝政局的陈霸先夺取帝位，建立陈朝。②南：宋、齐、梁、陈四朝的总称，从刘裕称帝到公元589年陈后主亡国为止，总共存在了170年。金陵：即今南京，南朝四朝都在这里建都。南京称金陵由来已久，战国时楚威王在这里设置金陵邑，故名。秦朝时称为秣陵。三国时吴国在此建都，称为建业。西晋末年建兴年间改名为建康，南朝时皆称为建康。

[译文]

东晋以后，中国南方先后建立四个朝代，即宋、齐、梁、陈，这在历史上称为南朝，都城都在金陵（今南京）。

北元魏①， 分东西②， 宇文周③， 与高齐④。

[注释]

①北元魏：指北方鲜卑贵族拓跋氏所建立的北魏。公元471年，北魏孝文帝拓跋宏即位，他采取了一系列的改革措施，其中一项是对鲜卑族贵族及功臣等赐给汉姓。496年，孝文帝下诏将拓跋氏改为汉族的姓氏"元"，自己的名讳拓跋宏也改为元宏。因此，后世也就把北魏称为元魏。北魏自道武帝拓跋珪登国元年（386年）起，至孝武帝元脩永熙三年（534年）止，总计存在149年。②分东西：指北魏于公元534年分裂为东魏和西魏。北魏末年，国内动乱，魏孝武帝因不满于高欢的专制，逃出洛阳奔关西长安投靠军阀宇文泰。534年，高欢在洛阳另立元善见为皇帝，即魏孝静帝，并迁都到邺（今河北临漳），历史上称为东魏，此后存在17年。宇文泰在长安拥立孝武帝元脩，以长安为国都，历史上称为西魏，此后存在21年。③宇文周：指鲜卑族人宇文氏

建立的北周。宇文泰独专西魏朝政，他于554年死后，其嫡子宇文觉被封为周公。557年，宇文觉登天王位，建立周国，历史上称为北周。北周存在了25年。④高齐：指高氏取代东魏建立的北齐。高欢独专东魏朝政，于547年死后，其子高洋于549年杀魏孝静帝，自立为皇帝，改国号为齐，历史上称为北齐。北齐存在了28年。

[译文]

西晋以后，中国北方先后出现十六个小朝廷，历史上称为"十六国时期"。鲜卑贵族拓跋氏建立的北魏强大起来，逐渐统一了北方。北魏孝文帝在位时实行汉化政策，并将拓跋氏改姓为"元"，所以北魏又称元魏。后来北魏发生内乱，分裂为东魏和西魏。西魏都城在长安（今西安），把持朝政的宇文氏篡夺了政权，改国号为周，历史上称为北周。东魏都城从洛阳迁到了邺（今河北临漳），把持东魏朝政的高氏篡夺了政权，改国号为齐，历史上称为北齐。

迨至隋， 一土宇①， 不再传②， 失统绪。

[注释]

①迨（dài）：等到。隋：杨坚于581年取代北周称帝后建立的王朝。一：即统一。土宇：指天下。一土宇，指隋朝统一了全中国。北周宣帝时，杨坚的女儿是周宣帝的皇后，周宣帝死，周静帝宇文阐继承皇位，杨坚以外公的身份辅政，任大丞相，封随国公。581年，杨坚废除小皇帝外孙周静帝，建立隋朝，即把随国公的"随"（繁体）去掉中间的"辶"，改为"隋"，他就是隋文帝。587年，隋文帝消灭了盘踞在江陵的梁朝残余势力。589年，发大兵五路下江南，灭掉陈朝，590年平定了南至广州的陈朝全境。隋文帝在位期间（581~604年），是自汉武帝以来中国最统一、最强盛的历史时期。这里说"一土宇"，是对隋文帝时期国家统一和强盛的高度概括。②不再传：意思是只传了一代，没有再传第二次。指隋朝在隋文帝杨坚之后只传给了隋炀帝杨广，就亡国了。

[译文]

北周后期,杨坚掌握朝政大权,他于581年称帝,改国号为隋,杨坚即是隋文帝。589年,隋朝灭掉江南的陈朝,统一了中国。隋朝只传到第二代隋炀帝时,就灭亡了,只存在了38年。

唐高祖, 起义师①, 除隋乱, 创国基②。

[注释]

①唐高祖:即唐朝的创建者李渊,618~626年在位。李渊在隋朝末年起兵反隋,当时是起义军的一支,故称义师。②除隋乱:指李渊和李世民父子清除了隋朝末年的混乱局面。创国基:即开创了全国一统的根基。隋朝末年,由于隋炀帝的暴政,致使全国纷纷爆发起义。李渊于615年任山西、河东抚慰大使,616年任太原留守。617年,各地起义军已成波澜壮阔之势,李渊听从其子李世民的建议,出兵攻取长安,占据关中。第二年,李渊在长安称帝,建立唐朝,他就是唐高祖。当时天下大乱,起义军中最大的一支是李密,一度拥有百万之众。不久李密向唐朝投降,后又叛唐,被唐朝杀掉。占据河北、山东广大地区的窦建德,618年自称夏国王,他与另一支起义军孟海公联合,同唐朝作战,结果大败,窦建德和孟海公都被擒杀。王世充一度占领洛阳,废除隋朝的皇泰帝杨侗,自称皇帝,国号郑,后来兵败,向唐朝投降,被解送长安,在囚禁处被仇人杀死。唐朝又消灭了刘黑闼、高开道等割据势力,平定黄河南北广大地区,接着又平定江淮一带。最后一个割据势力梁师都往北方投靠突厥。628年,突厥发生内乱,唐朝击败突厥,梁师都失去依靠,被部属杀死,于是唐朝平定北方。唐朝经过十年征战,统一了全中国,建立起强大的唐帝国。在灭隋兴唐的战争中,唐高祖的次子李世民起了决定性的作用。626年,李世民发动"玄武门之变",杀其兄建成、弟元吉,唐高祖无奈,只得把皇位传给他,自己称太上皇(后来于635年死)。李世民即皇帝位为唐太宗,改元贞观,贞观年间全国统一,国力强大,政治清明,天下太平,奠定了唐朝伟业的基础,后称为"贞观盛世"。

[译文]

隋炀帝荒淫无道,全国到处爆发起义,占据太原的唐国公李渊起兵攻占长安。618年,隋炀帝死,李渊在长安称帝,建立唐朝,他就是唐高祖。李渊之子李世民率兵陆续消灭各地的割据势力,于626年继承皇位,他就是唐太宗,完成了统一中国的大业。

二十传①, 三百载②, 梁灭之, 国乃改③。

[注释]

①二十传:指唐朝传了20个皇帝。实际上唐朝共有22个皇帝,这包括武周时期的女皇帝武则天和中宗的韦皇后扶立的少帝李重茂。说二十传,或者是取其整数,或者是不把武则天和李重茂计算在内。②三百载:指唐朝存在了300年。实际上,唐朝从唐高祖武德二年(618年)到唐哀帝天祐四年(907年),总计为290年,这包括武周的15年(690~704年)在内。说"三百载",是取其约数而言。③梁:即907年朱温灭掉唐朝篡位称帝后建立的梁朝,这时改变了唐朝的国号。

[译文]

唐朝总共传了22个皇帝,存在了290年,唐朝末年,爆发了黄巢领导的农民大起义。黄巢部将朱温叛变,投降唐朝,改名朱全忠。907年,朱全忠篡夺唐朝皇位,改国号为梁,他就是梁太祖。

梁唐晋, 及汉周①, 称五代, 皆有由②。

[注释]

①梁唐晋,及汉周:指五代时期中国北方依次相传的五个朝代。梁,907年朱温灭掉唐朝所建,建都汴州(今河南开封),史称后梁,立国17年。唐,923年沙陀人李存勖灭后梁称帝,国号唐,建都洛阳,史称后唐,立国14年。晋,936年沙陀人石敬瑭勾结契丹贵族灭后唐称帝,建都汴州,史称后晋,立国11年。汉,947年沙陀人刘知远击败入侵的契丹人之后称帝,国号汉,建都汴州,史称后汉,立国4年。951年郭威灭后汉称帝,国号周,建都汴州,史称后周,立国10年。②五代:前述梁、唐、晋、汉、周总称五代,总共54

年（907～960年）。皆有由：意思是说，这五个朝代的兴亡都有一定的原因。需要说明的是，这五个朝代控制的区域主要在中原，后周的疆域较大，向南也只达到淮河流域，未过长江。而在五代时期，中国的南方和北方还陆续建立起十个小朝廷，历史上称为"十国"。这十国是：吴国（902～937年），创建人是杨行密，立国36年，后被南唐所取代。南唐（937～975年），创建人是徐知诰（即李昪），立国39年，后来被北宋灭亡。吴越（907～978年），创建人是钱镠，立国72年，后来向北宋投降。楚（927～951年），创建人是马殷，立国25年，被南唐灭亡。闽（909～945年）创建人是王审知，立国37年，被南唐灭亡。南汉（917～971年），创建人是刘䶮，立国55年（从刘隐被后梁封为大彭郡王算起为65年），后来向北宋投降。前蜀（907～925年），创建人是王建，立国19年，被后唐灭亡。后蜀（934～965年），创建人是孟知祥，立国32年（从孟知祥被册封为蜀王算起为33年），被北宋灭亡。荆南（南平，924～963年），创建人是高季兴，立国40年，后来向北宋投降。北汉（951～979年），创建人是刘旻，立国29年，后来向北宋投降。

[译文]

唐朝以后，中国北方先经过五个朝代，即后梁、后唐、后晋、后汉、后周，历史上称为五代。这一时期，中国南方和北方还先后建立十个小朝廷，历史上称为"十国"。五代与十国的兴起及灭亡都是有一定原因的。

炎宋兴①， 受周禅②， 十八传③， 南北混④。

[注释]

①炎宋：即赵匡胤建立的宋朝。根据古代传统的五行学说的解释，北宋是"火德王"，所以称为"炎宋"。②受周禅：指赵匡胤迫使后周八岁的小皇帝周恭帝柴宗训用禅让的形式交出皇位。赵匡胤在后周时因军功任殿前都指挥使，掌握了重要的军权。959年周世宗死，其子柴宗训才七岁，被立为皇帝，即周恭帝。960年末，忽然传来警报说辽国和北汉入侵，赵匡胤率兵北上抵御，行至陈桥驿发动兵变，部将把黄袍加于赵匡胤身上，拥立他为皇帝。赵匡

胤回军汴京，迫使周恭帝退位，算是接受后周的禅让，于是建立了宋朝，他就是宋太祖。③十八传：指北宋和南宋共传了十八位皇帝，其中北宋九帝，南宋九帝。北宋末年，金国在北方强大起来，宋钦宗靖康二年（1127年），金兵攻入北宋都城汴京（今开封），把宋徽宗、宋钦宗都俘虏过去，这在历史上称为"靖康之变"，北宋灭亡。当时的宋徽宗第九子康王赵构逃到江南，在临安（今杭州）被朝臣拥戴为皇帝，即宋高宗，延续宋朝的统治，历史上称为南宋。当时，黄河以南的中原广大地区被金国占领，岳飞、韩世忠等爱国将领在中原组织军民英勇抗击金兵，收复了大片失地。但是宋高宗和宰相秦桧等奉行投降路线，同金国议和，杀害了岳飞。于是金国又占领了黄河以南及淮河流域大片地区，同南宋形成南北对峙的局面。④南北混：指经过十八传之后，中国南方和北方又统一为元朝。

[译文]

五代的后周时期，赵匡胤掌握了军权，960年发生"陈桥兵变"，他被部下拥立为皇帝，国号宋，历史上称为北宋。北宋末年，金国在北方强大起来，1127年攻入汴京，北宋灭亡。当时的康王赵构逃到江南，在临安（今杭州）称皇帝，延续宋朝的统治，历史上称为南宋。北宋和南宋共传了十八个皇帝，到元朝时又实现了南北统一。

辽与金^①，　帝号纷^②，　迨灭辽，　宋犹存^③。

[注释]

①辽：五代时期中国北方契丹族建立的政权，1125年被金国灭亡。金：北宋时期中国东方女真族人建立的政权，1234年被蒙古灭亡。②帝号纷：谓辽国和金国的帝位继承关系非常复杂。辽国的前身是契丹。契丹族在唐朝末年时占据中国北方，分为八部，五代后梁时各部尊耶律阿保机为王，逐渐强大起来。916年耶律阿保机称帝，国号契丹。927年阿保机死，其次子耶律德光继承皇位，改国号为辽，耶律德光即辽太宗。946年，辽兵攻破汴京，灭掉后晋，947年辽太宗进入开封，一度在中原称帝，但很快被刘知远驱逐。北宋时

期金国强大起来之后，于1125年灭掉辽国。从916年阿保机称帝到金灭辽为止，辽国传九帝，存在210年。辽国灭亡的前一年（1124年），辽国宗室耶律大石率残部西迁，在虎思斡耳朵（今新疆维吾尔自治区伊犁河西、吹河之南）自立为王，并建都于此，拥有相当于如今新疆的广大地区，史称西辽。西辽传二帝，至南宋宁宗嘉定十一年（1218年）被蒙古灭掉。西辽共存在95年。整个辽国（916～1218年）总共存在303年。金国具有悠久历史，周时称肃慎，汉代至晋时叫挹娄，南北朝时叫勿吉，隋唐时始称靺鞨，五代时称女真，后属于辽国。辽兴宗耶律宗真在位时，因避"真"字讳，将女真改称女直。辽天祚帝天庆四年，即宋徽宗政和四年（1114年），女真完颜部首领阿骨打统一各部落，建立金国，阿骨打称帝，即金太祖，以1115年为收国元年。金国最盛期，其辖境东北至乌苏里江以东直到滨海地区，北至外兴安岭一带。金国都城原在龙城（今辽宁辽阳），1153年金海陵王完颜亮把都城迁到中都（今北京）。蒙古在北方兴起之后压迫金国地域，逼近中都，金宣宗完颜珣于1214年把都城迁到汴京。1215年蒙古兵攻占中都，又继续南进，1233年又攻占汴京，金哀宗完颜守绪逃到蔡州（今河南汝南）。这时已是南宋理宗绍定六年，蒙古和南宋联合夹攻金国，第二年攻破蔡州，金国灭亡。从阿骨打称帝到完颜守绪亡国，金国共存在120年。③迨：到。迨灭辽，宋犹存，是说到辽国灭亡时，南宋还在江南存在着。

[译文]

北宋时期，中国北方还有契丹族建立的王朝辽国和女真族人建立的金国。辽国和金国的皇位传承都非常复杂。在金国1125年灭掉辽国、1126年灭掉北宋，蒙古1218年灭掉西辽国之后，南宋还在南方存在了一段时间。

至元兴， 金绪歇①， 有宋世，
一同灭②， 并中国， 兼戎翟③。

[注释]

①元：即蒙古族入主中原之后建立的元朝。12世纪末，蒙古族在中国北

方兴起，1206年，铁木真建立蒙古汗国，称为成吉思汗，后世追尊他为元太祖。1227年，成吉思汗灭掉西夏，当年死于军中。成吉思汗第四子拖雷（后追尊为元睿宗）监国一年，迎立成吉思汗第三子窝阔台继承汗位（后追尊为元太宗）。1234年，元太宗灭掉金国。1241年元太宗死，此后一段时间，蒙古的政局不够稳定。1251年，拖雷长子蒙哥即位为汗（即元宪宗），蒙古势力复振。1259年蒙哥死，其弟忽必烈继承汗位，被尊称为薛禅皇帝，即元世祖，建年号为中统，以1260年为中统元年（时为南宋理宗景定元年）。中统五年（1264年），忽必烈把国都从开平（今内蒙古自治区多伦北）迁到金国的中都（今北京），而把开平尊为上都，同时把年号中统五年改为至元元年。至元八年（1271年）改国号为元，至元九年（1272年）又改中都名大都。至此，元帝国进入强盛期。②有宋世，一同灭：指南宋和金国一样，也被蒙古灭亡了。元世祖忽必烈至元十三年（1276年），元军攻占南宋都城临安，宋恭帝投降。但南宋的一些爱国文武臣僚不肯屈服，保护着宋皇室南逃，在福州拥立宋度宗的庶子赵昰即帝位，即宋端宗，改元景炎。景炎三年（1278年），端宗死在硇洲（今广东省吴川县南海中小岛），爱国将领陆秀夫、张世杰等又在这里拥立赵昰之弟赵昺即帝位，改年号为祥兴，不久又迁往厓山（今广东省新会县南）。第二年二月，元兵逼近，陆秀夫背负小皇帝赵昺投海而死，南宋灭亡。宋朝从960年赵匡胤称帝到1279年南宋亡国，共存在320年，其中北宋167年，南宋153年。③戎翟（dí）：即戎、狄，指汉族以外的少数民族。

[译文]

12世纪末，蒙古族在中国北方兴起，1234年灭掉金国。1279年，元朝又灭掉南宋，把汉族和各少数民族建立的政权都统一到了一起。

明太祖， 久亲师①， 传建文， 方四祀②。

[注释]

①明太祖：即明朝的创建者朱元璋，1368～1398年在位。师：军队。久亲师，意思是朱元璋长期亲自统领军队，身经百战创立了明朝。元朝末年，全

国爆发了反元大起义,其中红巾军的势力非常强大。元至正十二年(1352年),郭子兴在濠州起兵,响应红巾军。朱元璋,字国瑞,濠州(今安徽凤阳)人,幼时贫苦,曾入皇觉寺为僧,他乘机拉起一支队伍投郭子兴军中,郭子兴养女马氏嫁他为妻。郭子兴死,朱元璋被推为帅,后攻占南京,称吴国公。朱元璋先后消灭割据于湖广一带的陈友谅和割据于苏州一带的张士诚,割据于浙江的方国珍向朱元璋投降。于是,朱元璋于1367年称吴王,1368年称帝,建立明朝,年号洪武,他就是明太祖。朱元璋派大将军徐达北伐,逐步平定中原,当年攻占元朝都城大都。至洪武二十一年(1388年),明朝先后消灭元朝残余和盘踞在其他地方的割据势力,建立起全国空前统一的、强大的汉族朝廷政权。②建文:即朱元璋的嫡长孙朱允炆。由于朱元璋的太子朱标在朱元璋在位时已经去世,因此在洪武三十一年(1398年)朱元璋驾崩之后,就由朱标之子朱允炆继承皇位。四祀:即四年。古时候每年除夕都要举行大祭祀活动,所以一年称为一祀。这里是说,建文帝即位后到被明成祖夺去皇位只有四年。

[译文]

元朝末年,全国爆发反元起义。朱元璋长期亲自统帅军队,身经百战,他消灭了各地割据势力,建立了明朝,他就是明太祖。朱元璋死后,传位给他的孙子朱允炆,即建文帝。建文帝在位只有四年。

迁北京, 永乐嗣①, 迨崇祯, 煤山逝②。

[注释]

①永乐:明成祖朱棣的年号。这里以年号代指明成祖。明成祖是朱元璋的第四子,名朱棣,洪武初年被封为燕王,率军驻守北平(今北京)。建文朝廷决定"削藩"(削减各藩王的行政权力和军事实力),朱棣极其不满。他有雄才,有野心,不肯受制于人,便率先起兵,声言"靖难"(平定朝廷危难之意),直扑南京。建文四年(1402年),燕兵占领南京,建文皇帝在宫中自焚死。还有一种说法是,建文帝当时遵从祖父朱元璋的遗计,在宫中改换为僧装

逃走，由忠臣程济等人保护，流亡于贵州、四川、云南一带，后来到了明宣宗时，建文帝已经年老，又回到北京，闲居而终。燕王在占领南京后，大肆杀戮建文朝臣，即皇帝位为明成祖，改年号为永乐，以1403年为永乐元年，并下令建设北平。永乐七年（1409年）把北平改为顺天府。永乐十九年（1421年），明成祖正式迁都北平，又将顺天府改称京师。由于和南京的比较，明朝人在习惯上将京师称为北京。②崇祯：明朝最后一个皇帝明思宗朱由检的年号，这里以年号代指明思宗。煤山：北京故宫北边的土山，现在叫景山。明末天启年间朝政腐败，引发了全国性的农民大起义，其中规模最大的两支是李自成和张献忠分别领导的。李自成是陕西米脂人，崇祯二年（1629年）投闯王高迎祥起义军中为闯将，被高迎祥招为婿。崇祯九年（1636年）高迎祥被俘遭杀害，李自成继任为闯王，率起义军转战各地，拥众达数百万。崇祯十六年（1643年），李自成称新顺王，后建国号为大顺，年号为永昌，以崇祯十七年（1644年）为永昌元年。此年三月，李自成率军由山西大同、宣化一路经居庸关攻破北京，明崇祯皇帝闻讯，自知明朝已不可救，就到皇宫后煤山东侧自缢而死，明朝亡。从朱元璋建国到崇祯皇帝自缢，明朝共经历277年。此年四月，明朝镇守宁远（今辽宁兴城）的将领吴三桂勾结清兵入关，李自成战败，退出北京。七月，清顺治皇帝迁都至北京，清朝开始，以此年为顺治元年。此年之后在中国南方，南明王朝还延续了一段时间。崇祯十七年五月，在南京的一些明朝官僚马士英等拥立福王朱由崧即皇帝位，年号为弘光。清顺治二年（1645年）夏，清兵渡过长江，攻占南京，福王出逃被俘，弘光朝灭亡。逃到福建的一些明朝官僚拥立唐王朱聿键即皇帝位，年号为隆武，坚持了两年。逃到广西的明朝官僚拥立桂王朱由榔即皇帝位，年号为永历，以顺治四年（1647年）为永历元年，坚持了15年，至顺治十八年（1661年）灭亡。

[译文]

建文四年（1402年），分封在北京的朱元璋的第四子燕王朱棣起兵夺取皇位，他就是明成祖，并且把国都从南京迁到北京，改元为永乐。明朝共传十六个皇帝。到最后一个皇帝崇祯时，农民起义的浪潮席卷全国，李自成的起义军攻占北京，崇祯皇帝在煤山（今北京景山）自缢而死，明朝灭亡。

廿二史，全在兹①，载治乱，知兴衰②。

[注释]

①廿二史：即二十二史。中国历代的正史，在清初时称为二十二史，见前面"经子通，读诸史，考治乱，知兴衰"一节注解。兹：同"此"，即"这里"。②载：记载。治乱：指历代的治世与乱世。兴衰：指历代的兴起与衰亡。

[译文]

从司马迁的《史记》到清代官修的《明史》，记述中国历史的正史共有二十二部，清代前期称之为"二十二史"。这些史书记载着历代治世与乱世的详细情况。读一读这些史书，可以了解历代兴衰的具体过程和其中的原因。

读史者，考实录①，通古今②，若亲目。

[注释]

①考：查考。实录：指每个朝代对于皇帝的日常起居及政事活动都有详细的记录，称为实录，如《明实录》、《清实录》等，《明实录》中又分别有《世宗实录》、《神宗实录》等。②通：通晓，明白。

[译文]

阅读历代的史书，再参照阅读一些实录类的文献，如《明实录》、《清实录》等，对于历代的史实都清楚地了解之后，那些历史事件和历史人物就像亲眼看见一样。

口而诵，心而惟①，朝于斯，夕于斯②。

[注释]

①诵：出声阅读，即朗读。惟：思考。②斯：这。此二句的意思是，早上也这样做，晚上也这样做。这是南宋时理学大师朱熹的观点。朱熹有《朱子读书法》，详细地讲述了他关于读书的见解。《三字经》的作者认为，对于

引导少年儿童读书来说，要按照朱子倡导的读书方法，必须重视朗读，同时要指导儿童在熟读之后认真思考。

[译文]

读书的时候，口里念诵着，心里同时要认真地思考着。早晨要这样读，晚上也要这样读，丝毫不能松懈。

昔仲尼①，　师项橐②，　古圣贤，　尚勤学。

[注释]

①仲尼：即孔子，孔子字仲尼。②项橐（tuó）：春秋时鲁国的神童，相传孔子曾以他为师。关于孔子师项橐的故事早有流传。《战国策·秦策》记述甘罗事迹时，甘罗说："夫项橐生七岁，而为孔子师。"后来各代的典籍中也常见有关项橐故事的记述，如当代在敦煌发现的变文故事中，就有《孔子项橐相问》一节，讲某一天孔子坐着马车外出，遇见几个孩子在路边玩耍，其中有个叫项橐的小男孩用砖头垒个方形，说是一座城，孔子让项橐避开，项橐见是孔子，就说："圣人既然上知天文，下晓地理，怎么连马车应当绕城而行的道理也不明白，反而让城为你的车让路呢？"孔子见他说得有理，就下车绕着项橐的"城"走了一圈。项橐还提出一些问题问孔子，孔子却回答不上来，只好承认项橐是老师。清代学者俞正燮《癸巳存稿》中有"项橐考"一节，对这个故事有详细考证。

[译文]

古代的孔夫子曾经以七岁的神童项橐为师。像孔子这样的圣贤还能如此虚心好学，一般的人更应该如此。

赵中令①，　读鲁论②，　彼既仕，　学且勤。

[注释]

①赵中令：即北宋初年的名臣赵普。赵普（921~991年），字则平，祖籍幽州蓟县，后徙居洛阳。他初事太祖为掌书记，后在太宗时拜为太师，封魏

国公，历相两朝，辛后追封韩王，谥忠献。中令，即中书令的简称。中国古代自魏、晋时设中书省，是主管国家行政事务的重要部门，中书省长官设中书令、中书侍郎或中书舍人等。中书令相当于宰相，赵普曾官居相位，故称赵中令。②鲁论：即《论语》。《论语》传到汉代的版本有三种，一是《鲁论语》二十篇，二是《齐论语》二十二篇，三是《古文论语》二十一篇。而传到后世的主要是《鲁论语》，所以叫"鲁论"。据说，赵普开始时学术并不深，宋太祖曾劝他好好读书，于是他才注意学习。《宋史》中《赵普本传》记载说："家人见其断国大义，闭门观书，取决方册，他日窃视，乃《鲁论》耳。"《续资治通鉴》记载赵普曾对宋太宗赵光义说："臣有《论语》一部，以半部佐太祖定天下，以半部佐陛下致太平。"这两段故事说，赵普爱读书，职位高了仍然勤读不辍，对于朝中大事的决策他都要到书中寻找答案，而这部常读常用的书竟然是一部《论语》。

[译文]

北宋初年的名臣赵普，曾担任中书令的官职，最爱读《论语》。他到朝廷当官之后，读书学习依然非常勤苦。

披蒲编①， 削竹简②， 彼无书， 且知勉。

[注释]

①披：披阅。蒲编：用蒲草编连而成的书籍。披蒲编，讲的是汉代路温舒刻苦读书的故事。《汉书·路温舒传》记载，路温舒字长君，钜鹿东里人，他小时候，父亲为监门（看守大门），家中贫穷，没有钱供他读书。路温舒为人家放羊，看见沼泽地里长的蒲草，叶子又长又宽，就采集蒲草的叶子晒干，用线串成书页的样子，用来抄书。就这样，他一边放羊一边读了许多书。后来路温舒官至临淮太守，颇有政绩。②竹简：古时候还没有发明纸的时候，用来抄书的长条竹片。削竹简讲的是汉朝公孙弘的故事。公孙弘字季，菑川薛（今山东滕县南）人。《汉书》中《公孙弘传》记载说，公孙弘年轻时候曾当过狱吏，后因家贫，在海边为人家放猪。他想读书却没有钱买，就自己动手削竹片串连起来，做成书册的样子，又自己动手抄书。就这样，他读了不少书，

成为很有学问的人。后来,公孙弘做官做到宰相,封平津侯,成为汉代名臣。

[译文]

汉朝路温舒少年家贫,为人家放羊,就用蒲草编连成书册,抄书来读;公孙弘年轻时候家贫,为人家放猪,就自己动手削竹片编成书册,抄书来读。他们在没有条件读书的时候,还能创造条件进行读书,勉励自己勤学,后来成为有才能、有作为的人。这种精神是值得后人学习的。

头悬梁①, 锥刺股②, 彼不教, 自勤苦。

[注释]

①头悬梁:讲的是汉代孙敬刻苦读书的故事。《楚国先贤传》记载(《太平御览》卷六一一引),汉代孙敬字文宝,信都(今河北枣强一带)人。他非常爱学习,每天关着门在家里读书,人们称他"闭户先生"。孙敬晚上读书读到深夜,疲倦时难免打瞌睡,他为了不使自己因打瞌睡耽误读书,就用绳子把头发吊在屋梁上,这样,一旦打瞌睡时,头一低就会扯疼头发,使他醒来继续读书。②锥刺股:讲的是战国时期苏秦的故事。《战国策》记载,苏秦年轻时胸有大志,意欲有所作为,他得到姜太公的兵法等书籍,就手不释卷地苦读。晚上读书打瞌睡时,他就用锥子刺自己的大腿,刺疼了就不打瞌睡了,于是继续读书。后来,苏秦以"合纵"的战略计划游说六国,得到六国的相信,竟然能够佩戴六国的相印,任"纵约长",成为战国时期非常著名的人物。

[译文]

汉朝孙敬年轻的时候,晚上读书到深夜,为了不使自己因打瞌睡耽误读书,就把头发吊在屋梁上。战国时期苏秦年轻的时候刻苦读书,为了不使自己因打瞌睡耽误读书,就用锥子刺自己的大腿。这两个人这样苦学,并不是按照别人的指教去做的,完全是一种自觉的行为。今天的少年儿童应当学习他们这种刻读书的精神,但不要机械地模仿悬梁刺股的极端做法。

如囊萤①，**如映雪**②，**家虽贫**，**学不辍**③。

[注释]

①囊萤：把萤火虫装在纱袋里，这里讲的是东晋车胤读书的故事。据《晋书》中《车胤传》记载，车胤是东晋南平（今福建南平）人，小时候家里贫穷，没有钱买灯油，夏天他就捉了一些萤火虫装在纱袋里，用来照着书页读书。后来车胤长大很有才能，东晋孝武帝在位时，做官做到护军将军，晋安帝在位时，他又做到吏部尚书，是东晋时的名臣之一。②映雪：借着雪光的映照看清书页，这里讲的是孙康映雪读书的故事。《昭明文选》中任昉《为萧扬州荐士表》中"至乃集萤映雪，编蒲缉柳"一句之后，唐李善注引《孙氏世录》记述云，孙康是西晋京兆（今陕西西安）人，小时候家庭贫穷，没有钱买灯油，冬天他就到外面雪地里映着雪光读书。后来孙康长大，做官做到御史大夫。③辍：停止。

[译文]

东晋车胤小时候囊萤读书，西晋孙康小时候映雪读书，都是古代刻苦读书的著名典故。像车胤和孙康这样的少年，家里虽然贫穷，但他们却不放弃学习，后世读书人总是赞扬并且学习他们刻苦读书的精神。

如负薪①，**如挂角**②，**身虽劳**，**犹苦卓**③。

[注释]

①负薪：背柴，也可解释为担柴。这里讲的是汉代朱买臣刻苦读书的故事。《汉书》朱买臣传记载，朱买臣字翁子，吴县（今江苏苏州）人。他爱读书，但时运不济，到中年时候仍然生活贫苦，没有产业，就靠卖柴为生计。他挑着柴担走在路上，一边大声朗诵书上的文章。他的妻子也背着重物跟在后面，几次劝止他不要朗诵，而朱买臣朗诵得更加起劲。妻子觉得朱买臣这样做太丢人，就和他离婚了。朱买臣不顾妻子的轻蔑和旁人的嘲笑，仍然继续坚持读书，终于得到朝廷任用，汉武帝时官为大夫侍中，后来又出任会稽太守。

②挂角：把物品挂在牛的犄角上。这里讲的是隋代李密刻苦读书的故事。《新唐书》和《旧唐书》中的《李密传》都记载说，李密祖籍在辽东襄平（今辽宁辽阳市北），后迁居京兆长安。他小时候非常爱读书，放牛时就在牛背上搭一块蒲草垫子，自己骑在上面，把一册《汉书》挂在牛角上，边走边读。隋朝宰相越国公杨素正好从这里路过，看见这个少年如此好学，就勒住马缰绳跟在他的牛后面看，问他读的是什么书，他回答说是《汉书》中的《项羽传》。杨素与他交谈，对他的才学非常惊奇，回到府中对儿子杨玄感说："我看李密的学问和见识，你们是赶不上的。"后来隋末大乱，杨玄感起兵反隋，用李密为谋主；不久杨玄感死，李密参加瓦岗起义军，成为隋朝末年起兵反隋的各路义军首领之一。③苦卓：刻苦自立。

[译文]

西汉时的朱买臣穷苦时一边担柴一边读书，隋朝的李密少年放牛时把书挂在牛角上来读书。他们虽然身受劳苦，但却不放弃刻苦读书以求成才自立。

苏老泉①，二十七，始发愤，读书籍。
彼既老，犹悔迟②，尔小生，宜早思③。

[注释]

①苏老泉：即苏洵（1009～1066年），北宋著名的文学家，号老泉，眉州眉山（今四川眉山）人，他和他的两个儿子苏轼、苏辙都名列"唐宋八大家"之中。他年轻时因为要担负家庭生活的重担，没有足够的时间坐下来读书，据说他二十七岁时才开始发愤读书。数年后，苏洵学问精进，通六经百家之说，作文下笔顷刻之间便写数千言。北宋仁宗嘉祐年间，苏洵带领两个儿子到京师汴京，欧阳修见到他的文章二十二篇，赞赏他的才学，把他推荐给宰相韩琦，被授予秘书省校书郎之职。后来苏洵父子三人都成为北宋名人。②彼：他，指苏洵。老：指年长。彼既老，犹悔迟，意思是苏洵在年龄较大的时候还能够悔悟到应该读书。③尔：你们。宜早思：应该早些认识到读书的重要并下工夫去读书。

[译文]

北宋时的著名文学家苏洵,据说到二十七岁才开始发愤读书,后来也取得了非常大的成就。像苏洵这样,年龄大了,开始读书较晚,只要悔悟过来,发愤努力,仍然可以取得优异的成绩并有远大的前途。对于后世的少年儿童来说,应当早点觉悟,抓紧时间读书啊!

若梁灏①, 八十二, 对大廷, 魁多士②。彼既成, 众称异, 尔小生, 宜立志。

[注释]

①梁灏:或作梁颢,传说他八十二岁中状元。最早的说法见陈正敏《遁斋闲览》,说梁颢八十二岁时于北宋雍熙二年(985年)状元及第,他作谢启云:"白首穷经,少伏生之八岁;青云得路,多太公之二年。"意思是说,比汉初伏生九十岁传授经书的年龄少八岁,比姜太公八十岁遇周文王时的年龄多二年,正是自谓他金榜高中之时是八十二岁。但是,对于这个说法,前人曾提出疑问。洪迈《容斋四笔》卷十四"梁状元八十二岁"一节辨析说,梁颢字太素,雍熙二年廷试甲科,景德元年知开封府,暴疾卒,年四十二岁。因此,《遁斋闲览》的说法是不正确的。另外,《宋史》中有梁颢传记,记梁颢是五代时郓州须城(故城在今山东东平)人,他卒年九十二岁。景德元年为1004年,上距雍熙二年(985年)十九年,那么他中状元的年龄应是七十三岁,这也与《遁斋闲览》的说法不合。《三字经》采取梁颢故事,只是取通常流传的说法,用来说明一个道理,无论多大年龄都要立志读书,争取成名。②大廷:即朝廷。魁:第一名。这两句的意思是说,梁灏中了第一名。

[译文]

据传说,北宋时的梁灏八十二岁考中状元,在朝堂上名列本科进士之首,受到皇帝召见。梁灏的成功,众人叹为奇异。对于后世的少年儿童来说,应当早点树立起远大的志向啊!

莹八岁，能咏诗①；泌七岁，能赋棋②。
彼颖悟，人称奇，尔幼学，当效之。

[注释]

①莹：即祖莹，北魏范阳（故城在今河北涿县）人，祖季真之子。《晋书》中《祖莹传》记载说，祖莹字元珍，从小非常好学，八岁时就能诵读《诗经》和《尚书》。他读书常常夜以继日，父母担心他劳累过度导致疾病，就禁止他夜晚读书。祖莹把火种藏在灰中，深夜待父母睡定之后，把童仆支开，再起来读书。为了不让父母看见，他还用衣服和被子把窗户蒙上，不让灯光漏泄出去。他爱读书的名声传扬出去，人们都称赞他是"圣小儿"。祖莹长大后入仕途，官至车骑大将军，被封为文安县伯。②泌：即李泌，唐代名臣，祖籍辽东襄平（今辽宁辽阳北），后迁居京兆（今陕西西安），历仕唐玄宗、肃宗、代宗、德宗四朝，位至宰相。据《新唐书》中的《李泌传》记载，他从小非常好学，七岁就会作文。开元十六年（728年），唐玄宗召见能谈佛论道及孔子学说者进行辩论，有个名叫负淑的儿童非常聪明，玄宗很喜欢他，问他还有没有别的儿童像他这样聪明，负淑就奏报说他舅舅家有个小孩，叫李泌，更聪明。玄宗立即派人召见李泌，李泌来到时，玄宗正和宰相张说下围棋，就让张说试一试李泌的才学。张说就以围棋来命题，让李泌当场赋诗，并要切合"方"、"圆"、"动"、"静"四字。张说先作示范说："方若棋局，圆若棋子。动若棋生，静若棋死。"李泌立即吟诵道："方若行义，圆若用智。动若聘才，静若得意。"张说向玄宗祝贺说，又发现了一个神童，玄宗非常高兴。赋棋：就是以围棋为题材赋诗。

[译文]

北魏时的祖莹，八岁时就能诵读《诗经》。唐朝的李泌，七岁时就能写出咏围棋的诗。祖莹和李泌小时候都被称为神童，长大后成为名臣，历代受到传扬。对于后世的少年儿童来说，应当向他们学习啊！

蔡文姬，　能辨琴①；　谢道韫，　能咏吟②。
彼女子，　且聪敏，　尔男子，　当自警。

[注释]

①蔡文姬：即东汉末年蔡邕的女儿蔡琰，字文姬。她博学能文，善解音律。能辨琴：是说她有辨别琴音的特殊本领。据《蔡琰别传》记载，蔡文姬六岁的时候，有一天晚上她的父亲蔡邕在房间弹琴，忽然琴弦断了一根，她在隔壁听见，就走过来对父亲说是第二根弦断了。父亲非常惊讶，过了一会儿又故意弄断一根，文姬又走过来说是第四根弦。父亲说她不过是偶然猜中罢了，心里却感到惊喜，知道这个女孩子对于辨别琴音确有特殊的本领。②谢道韫：东晋时谢安的侄女，嫁王羲之之子王凝之为妻。能咏吟：是说谢道韫咏诗有佳句。《世说新语》和《晋书》中的列女传都记述有她的一段轶事：她十来岁时，叔父谢安带着她和几个小孩子一同赏雪作诗。谢安起个头说："白雪纷纷何所似？"侄儿谢朗吟出一句"撒盐空中差可拟"，比喻很不恰当。谢道韫接着吟道"未若柳絮因风起"，比喻生动而贴切，受到叔叔谢安赞赏。

[译文]

东汉末年的蔡文姬，六岁的时候能准确地辨别琴音。东晋时候的谢道韫，十来岁的时候能够吟出"未若柳絮因风起"的咏雪诗句。蔡文姬和谢道韫身为女孩子，尚且如此聪明，后世的男孩子更应当自我警醒，努力读书才是啊！

唐刘晏，　方七岁，　举神童，　作正字①。
彼虽幼，　身已仕。　尔幼学，　勉而致②，
有为者，　亦若是。

[注释]

①刘晏：字士安，唐曹州南华人。正字：官职名，南朝齐时有正书，北齐改为正字，属秘书省，主管文字校正工作。刘晏的事迹在《新唐书》中记

述较详。唐玄宗到泰山封禅,刘晏年方七岁,父亲带他到玄宗驻跸的行宫献诗,玄宗惊奇,让宰相张说试试他的才学,张说回奏说,这样的神童是国家的祥瑞。玄宗大喜,当即授给刘晏秘书省正字的官职。朝廷中公卿士大夫都争先邀请刘晏到家中做客,刘晏因而名噪一时。有一天,唐玄宗在宫中召见刘晏,杨贵妃还亲切地抱刘晏坐在她的腿上,亲自为他挽发髻。玄宗和这个小官员开玩笑说:"你这个正字官,正了几个字了?"刘晏回答说:"天下的字我都可以正,只有那个'朋'字没有正。"这句话含有讽谏之意。因为当时朝廷中的官员拉帮结派现象严重,历史上称之为朋党,这是唐代朝政的一个严重弊端,刘晏的回答揭示出这一事实,提出来请玄宗皇帝注意。玄宗听了他的回答,感到这个孩子真不简单。后来,刘晏在唐肃宗、唐代宗两朝官至户部侍郎、吏部尚书,同平章事,并兼任江淮常平使,是一个善于理财的名臣。②勉:勉励,努力。致:达到。

[译文]

唐朝的刘晏,才七岁,父亲领着他向唐玄宗献诗,宰相张说称他是神童,玄宗当即授给他"秘书省正字"的官职。他虽然年幼,却已经踏入仕途了。后世的少年儿童要以他为榜样自勉,刻苦读书,达到自己的目的。一个人要想有所作为,就应当像刘晏那样啊!

犬守夜, 鸡司晨①, 苟不学, 曷为人②?

[注释]

①守夜:夜间看守门户。司晨:早晨报晓。②苟:假如。曷:怎么,古汉语中的疑问代词。

[译文]

狗能够为人守夜,鸡能够为人报晓,这样的家畜家禽还都有一技之长。作为人来说,如果不努力学习,将来长大了没有谋生的本领,凭什么在社会上立身呢?

蚕吐丝, 蜂酿蜜①, 人不学, 不如物②。

[注释]

①酿：酿造。本意指造酒，这里把蜜蜂采花粉造蜜也叫酿。②物：本来指天地间存在的一切物质或物件，这里单指像蚕和蜜蜂一类的动物。

[译文]

蚕能够吐丝，蜂能够酿蜜，它们都有一种可以创造物质财富的能力。人要是不努力学习，什么本领也没有，恐怕连蚕和蜂这样的昆虫都不如啊！

幼而学， 壮而行①， 上致君， 下泽民②。
扬名声， 显父母③， 光于前， 裕于后④。

[注释]

①幼：指年少时。壮：指成年。②致君：辅佐国君。泽民：造福于百姓。③显：显耀。显父母，即是为父母争光。④前：指祖宗。裕：惠泽。后：指子孙。这一段讲的是儒家思想观念所理解的人生的意义。按照儒家思想观念来要求，读书的目的就是"学而优则仕"。所说的国君，是那个时代国家的代表，辅佐国君就是报效国家了。如果在辅佐国君、治理国家方面取得一定的政绩，达到较高的社会地位，那么必然给自己的家庭、家族带来荣耀，给子孙带来恩惠。这是封建时代许许多多知识分子所追求的目标。这里对于读书意义的认识，表现了浓厚的封建观念，今天的读者需要对此加以批判并要重新进行认识。当代教育少年儿童将来要为国家为人民多作贡献，这里的国家和人民都是具有当代意义的概念，同封建时代所说的"君"与"民"是有区别的。因此，对于这一段文字的理解要体现当代的时代精神。

[译文]

少年时努力学习，长大了有所作为。对上报效国家，对下惠泽民众；自己扬名于世，也为父母增光；业绩载于史册，声誉流传后世。做到这样，才真正体现了人生的价值和意义啊！

人遗子， 金满籝①， 我教子， 惟一经②。

[注释]

①人遗（wèi）子，金满籯（yíng）：指的是汉代韦贤的故事。据《汉书》中的韦贤传记载，韦贤字长孺，鲁国邹（今山东邹县）人，爱好读书，学问渊博，人称"邹鲁大儒"。他被朝廷征召为博士，汉宣帝本始年间官至丞相，被封为扶阳侯。他有四个儿子，只有第三子韦舜留在鲁国看守祖先坟茔，其他三个儿子都在外地做官。韦贤对儿子们的态度就是教他们读儒家经典著作，而不是考虑给他们留下什么遗产。他对别人解释说："子孙如果没有出息，给他们遗留的财产再多，也总有用完的一天。如果子孙能够好好读书，掌握处世的本领和治国安邦的道理，这才是取之不尽、用之不竭的财富啊！"他的话传开，于是当时在鲁地就流传着关于韦贤教子的谚语："遗子黄金满籯，不如一经。"遗，给予。籯，竹箱。②经：指儒家的经典著作。一经，指的是一套经典著作，而不是单指哪一种。

[译文]

汉朝的韦贤曾说过，别人家给儿子留下的遗产是黄金满籯，我要留下给儿子的东西只是一套儒家的经典著作。后人从韦贤的话中得到启发，认为诗书传家是最重要的。

勤有功， 戏无益①。 戒之哉， 宜勉力②。

[注释]

①勤有功，戏无益：是古代非常著名的格言，这里引用这两句格言作为全书的结尾，意味深长，既是对少年儿童的勉励，也是对每一位成年人的勉励。勤，勤奋。戏，戏耍。②勉力：即努力勉励自己。

[译文]

勤学必见功效，玩乐毫无收益。少年儿童们，要时刻警戒自己啊，一定要好好学习，努力上进，争取在成年后做出更大的成绩，实现自己的人生理想。

百家姓

百家姓

赵 钱 孙 李　周 吴 郑 王

《百家姓》中首先排"赵钱孙李",是因为相传《百家姓》为北宋初年"钱塘老儒"作,当时北宋皇帝姓赵,吴越国皇帝钱俶姓钱,钱俶的爱妃姓孙,南唐皇帝后主李煜姓李。作者自身处于钱塘(今浙江杭州)之地,自然首先考虑这几位皇室,之后才按照他的认识,排列其他大姓。

赵姓出自嬴姓,最早的祖先是伯益,直接的始祖是造父。《史记·赵世家》记载,伯益是颛顼高阳氏的裔孙,舜时是东夷部落首领,被舜赐姓嬴氏。伯益九世孙造父是驾驭车马的能手,曾为周穆王驾车,建立战功,受封于赵城(今山西洪洞)。造父的后代赵叔带奔晋为大夫,其后裔赵衰、赵盾皆为晋国公卿,经过"赵氏孤儿"一段挫折,其后裔振兴,赵、韩、魏三家瓜分晋国,战国时成为七雄之一。后世称王者有西汉初年的南越王赵佗。至五代后周时期赵匡胤发动"陈桥兵变"建立宋朝,北宋和南宋共传18位皇帝,立国320年。历代赵姓名人有:秦朝宦官赵高,西汉代京兆尹赵广汉(赵匡胤远祖)、大将赵充国,汉成帝的宠妃赵飞燕,三国时蜀汉大将赵云,北宋初宰相赵普,元代文学家、书法家赵孟頫,清代史学家、文学家赵翼,当代有著名作家赵树理、佛学家赵朴初等。赵姓在当代百家大姓中排名第八位。

钱姓始祖是颛顼的后代彭祖,彭祖的后裔名孚,西周时官为"钱府上士",即掌官钱财的官,于是以官为姓,其后代便姓钱。郑樵《通志·氏族略》把钱姓列为"以官为氏"类。因此,钱姓与彭姓同祖。历代钱姓名人有:秦朝御史大夫钱产,南朝宋时太史令钱乐之,北宋初宰相钱惟演,明末清初文学家钱谦益,清代学者钱大昕,当代有著名科学家钱学森、钱三强、钱伟长和著名学者钱钟书等。钱姓在当代百家大姓中排名第九十六位。

孙姓的来源有多种,主要的有出自姬姓、出自芈姓、出自妫姓三支。出自姬姓的,最早是周武王把他的少弟姬封到卫地,史称卫康叔。卫康叔的八世孙卫武公姬和有个儿子叫惠孙,惠孙的孙子名乙,字武仲,他以其祖父的字为姓,就是孙氏。出自芈姓的,是源于楚国的令尹孙叔敖,他本是楚国贵族,芈姓,名敖,字孙叔,他的子孙就以他的字为姓氏。出自妫姓的,源于春秋时陈厉公的儿子完,字敬仲,其四世孙桓子之子官齐国大夫,因功被齐景公赐姓孙氏。因陈国的祖先是舜的后裔妫满,所以这一支孙氏实际上出自妫姓。历代孙姓名人有:春秋时齐国的军事家、《孙子兵法》的作者孙武,孙武的孙子、战国时期齐国军师孙膑,东汉末年成就霸业、建立吴国的孙坚、孙策、孙权父子,唐代著名医药学家孙思邈、书法家孙过庭,清代学者孙奇逢、诗人孙原湘,近现代革命家孙中山等。孙姓在当代百家大姓中排第十二位。

李姓始祖是颛顼的后裔皋陶,皋陶在尧时任大理官(掌管司法),后代世袭理官,以理为姓。殷商末年有名为理徵者,因直言谏纣王而遭杀身之祸,其子理利贞出逃途中,以李子充饥,得以不死,于是改为姓李。唐代林宝《元和姓纂》说理利贞的十一世孙即是老子李耳。《新唐书·宗室世系》亦记载李氏出自颛顼之后。李姓后世称王称帝者很多。唐朝自高祖李渊起传22位皇帝，共290年。其他李姓皇帝还有：十六国时期的成汉和西凉，五代十国时期的后唐和南唐，北宋时期的西夏，明末建立了大顺朝的农民起义领袖李自成等。越南和朝鲜古代也有李姓王朝建立，他们认中国的李姓始祖为其始祖。历代李姓名人有：道家始祖老子李耳，秦朝修建都江堰的李冰、宰相李斯，西汉时"飞将军"李广，唐朝诗人李白、李贺、李商隐，宋代女词人李清照，明代思想家李贽、医学家李时珍，清末名臣李鸿章，现当代革命家李大钊，著名科学家李四光，作家李尧棠（字芾甘，笔名巴金），美籍华人、科学家李政道，原籍广东的原新加坡总理李光耀，著名企业家李嘉诚等。李姓在当代百家大姓中排名第一位。

周姓源于姬姓，即周朝的国姓。其先祖后稷是黄帝、帝喾之后，受封于邰，别姓姬。后稷的后人古公亶父率族人迁居周原（今陕西岐山一带），遂为周族。周姓的起源还有黄帝的部将周昌、商代的太史周任等说法，但这两人的事迹已难详考。历代周姓名人有：西汉初大将军周勃、周亚夫，三国时吴国都督周瑜，北宋理学家周敦颐，元代音韵学家周德清，清代文学家周亮工，现当代有文学家周树人（鲁迅）和无产阶级革命家、党和国家卓越领导人周恩来等。周姓在当代百家大姓中排第九位。

吴姓源于姬姓，远祖即周的始祖古公亶父。古公亶父非常喜爱小儿子季历所生的孙子姬昌（即后来的周文王），认为姬昌以后能够使本家族昌盛。古公亶父的大儿子泰伯和二儿子仲雍明白父亲的意思，就主动避让，到远在东南的吴越地区创业，成为吴国的始祖，后来吴国的后人就以国为姓。历代吴姓名人有：战国时期的名将吴起，秦末农民起义领袖吴广，唐代著名画家吴道子，明代小说《西游记》的作者吴承恩，清代小说《儒林外史》的作者吴敬梓，明末引领清兵入关的宁远总兵吴三桂，民国时期军阀吴佩孚等。吴姓在当代百家大姓中排第十位。

郑姓源出姬姓。周宣王封其弟姬友于郑（今陕西华县），即郑桓公。后来西周末年郑武公随平王东迁，在荥阳一带建立郑国，其后人以国为姓。历代郑姓名人有：战国时期因修郑国渠而闻名后世的水利专家郑国，东汉经学大师郑玄，南宋史学家郑樵，明朝航海家郑和，明末民族英雄郑成功，清代文学家、书画家郑板桥，现当代有文学史家、作家郑振铎，音乐家郑律成等。郑姓在当代百家大姓中排第二十一位。

王姓的来源较复杂。《姓氏考略》说："大抵子孙以王者之后，号曰王氏。"其中有几个主要的源头：一是周文王姬昌的第十五子毕公高的后裔，二是东周灵王的太子王子晋的后裔，三是战国时魏国公子无忌即信陵君的后裔，四是战国时齐国妫姓田氏的后裔，五是殷商末年王子比干的后裔，还有后世历代汉族王族及少数民族称王者的后裔等。历代王姓名人有：战国时秦国大将军王翦，西汉时被派往匈奴和亲的王昭君，西汉末年篡汉建立新朝的王莽，东汉思想家王充，东晋曾官右军将军的书法家王羲之，唐代诗人王勃、王维、王昌龄，北宋宰相王安石，明代思想家王阳明，明末清初的思想家王夫之、书法家王铎等。当代有中华人民共和国主席刘少奇的夫人王光美、国家领导人之一的王震、作家王蒙等。王姓在当代百家大姓中排第二位。

冯 陈 褚 卫　蒋 沈 韩 杨

冯姓源出姬姓。周文王第十五子毕公高的后代有名毕万者封于魏地，他的孙子辈有一支食采于冯（今河南荥阳），其后人即以采邑为姓氏。历代冯姓名人有：东汉初年大将军冯异，十六国时期北燕的创建者冯跋，五代时期权臣冯道，明代文学家冯梦龙，清末抗击法国侵略军的老将冯子材，民国时期军阀冯国璋、爱国将领冯玉祥等。冯姓在当代百家大姓中排第三十一位。

陈姓始祖是舜帝的后裔妫满。周武王建立周朝，把妫满封于中原，在今河南淮阳一带建国，即陈国开国之君陈胡公，其后代即以国为姓。历代陈姓名人有：秦末农民起义领袖陈胜，东汉末年任中牟县令对曹操先捉后放的陈宫，西晋有《三国志》作者、史学家陈寿，南朝陈朝的创建者陈霸先，唐代诗人陈子昂、远赴印度取经的高僧陈祎（即玄奘），唐初率兵入闽的"开漳圣王"陈元光，南宋文学家陈亮，清末太平天国名将陈玉成，现代共产党早期领导人陈独秀，当代党和国家领导人陈云、解放军元帅陈毅、大将陈赓等。陈姓在当代百家大姓中排第五位。

褚姓源自春秋时期宋共公的儿子公子段。段在宋国担任管理市场的官，食采于褚，号曰"褚师"，其后人就以其官职为姓。历代褚姓名人有：西汉经学家褚少孙，东晋名将褚裒，南朝南齐骠骑将军褚渊，唐初名臣、书法家褚遂良等。

卫姓源于姬姓，周武王的弟弟康叔受封于卫，即春秋时卫国的始祖，其后裔就以国为姓。历代卫姓名人有：战国时政治家、改革家卫鞅（商鞅），汉初丞相卫绾，西汉时大将军卫青，汉武帝皇后卫子夫，东晋女书法家卫铄（即王羲之曾拜之为师的卫夫人），明代学者、书画家卫靖，现当代有国民党将领卫立煌等。

蒋姓源出姬姓。周公姬旦的第三子伯龄受封于蒋（今河南淮滨），建立蒋国，其后裔以国为姓。历代蒋姓名人有：三国时蜀汉丞相蒋琬，吴国大将蒋钦，唐朝宰相蒋伸，南宋词人蒋捷，清代文学家蒋士铨，现代中国国民党总裁、国民政府总统蒋中正（介石）及其子蒋经国、蒋纬国等。蒋姓在当代百家大姓中排第四十五位。

沈姓有多个源头。一是周成王封其叔季载于沈国（今河南平舆一带），春秋时沈国被蔡国所灭，其后人以国为姓。二是出自楚国芈姓，楚庄王公子贞封于沈鹿（或记作沈邑，在今河南沈丘），其后人以封地为姓。三是战国时期秦国嬴姓、齐国妫姓的后裔亦有姓沈者。历代沈姓名人有：南朝文学家、史学家沈约，唐朝诗人沈佺期，北宋名臣、科学家沈括，明代画家沈周、戏曲家沈璟，现当代著名的民主党派人士沈钧儒、作家沈雁冰（茅盾）、学者沈尹默等。沈姓在当代百家大姓中排第四十九位。

韩姓源于姬姓。周成王之弟叔虞被封晋地，是晋国开国之君，后来晋穆侯的幼子桓叔被封于曲沃，食采于韩，即韩武子，其后代至韩景侯韩虔时与赵、魏三家瓜分了晋国，建立韩国，韩国后裔即以韩为姓。又有一说，黄帝之子昌意有个儿子名叫韩流，其后代即以韩为姓，到尧时有"仙人"韩终。历代韩姓名人有：战国时法家思想家、文学家韩非，西汉开国功臣之一的大将韩信，隋朝大将韩擒虎，唐代文学家韩愈，北宋著名宰相韩琦，南宋初抗金名将韩世忠，元末起义军首领韩山童、韩林儿等。韩姓在当代百家大姓中排第二十六位。

杨姓源于姬姓。西周末年，周幽王封周宣王的小儿子尚父于杨（今山西洪洞一带），建立杨国。后来春秋时杨国被晋国灭掉，其后裔便以杨为姓。汉代时，杨氏在弘农、河内形成望族。历代杨姓名人有：东汉时被称为"关西夫子"的太尉杨震，即后来建立隋朝的隋文帝杨坚的远祖；东汉末年被曹操杀掉的文学家杨修，北魏文学家、《洛阳伽蓝记》的作者杨衒之，隋朝大臣杨素，唐玄宗宠妃杨玉环，北宋名将杨业、杨延昭，南宋诗人杨万里，明初"三杨"杨溥、杨荣、杨士奇，清代戏曲作家杨潮观，清代后期太平天国将领杨秀清，现代革命家、毛泽东的夫人杨开慧，国民党爱国将领杨虎城，东北抗日联军司令杨靖宇，当代科学家杨振宁等。杨姓在当代百家大姓中排第六位。

朱　秦　尤　许　何　吕　施　张

朱姓的源头有三种说法。一是炎帝时有古老的部族朱襄氏，以发明琴瑟、善于降妖而著名，这是朱氏最古老的来源。二是周武王封颛项的后裔曹挟于邾,建立邾国(在今山东曲阜一带),后来为楚国所灭,其后裔就以邾为姓,再后来去掉邾的偏旁为"朱"。三是尧的儿子丹朱、舜时大臣朱虎的后裔也以朱为姓。历代朱姓名人有:战国末期魏国受信陵君指使、椎杀大将晋鄙的武士朱亥,汉代有朱买臣,唐朝末年先为黄巢部将、后建立后梁的朱温(即朱全忠),南宋理学家朱熹,明朝开国皇帝朱元璋及明朝皇室,明代天文音律学家朱载堉,清代文学家朱彝尊,现代文学家、学者朱自清,当代无产阶级革命家、解放军元帅朱德等。朱姓在当代百家大姓中排第十三位。

秦姓源于嬴姓。颛顼、伯益的后裔中有个叫非子的,周孝王时牧马有功,被封于秦亭,建立秦国,后来秦始皇时灭掉其他六国,建立了天下一统的秦帝国。秦朝灭亡后,嬴氏后人便以秦为姓。历代秦姓名人有:战国时期的名医秦越人(扁鹊),唐初开国功臣之一的大将秦琼,北宋词人秦观,南宋高宗时宰相、奸臣秦桧,南宋数学家秦九韶,明末女将秦良玉,清后期太平天国将领秦日纲,现代共产党早期领导人之一的秦邦宪(博古)等。秦姓在当代百家大姓中排第七十四位。

尤姓源自沈氏。唐朝末年,沈氏随王朝、王审知入闽,王审知建立闽国,为避"审"字讳,沈姓将"沈"字去掉三点水偏旁,成为"尤"姓。历代尤姓名人有:南宋诗人尤袤,清初文学家尤侗。

许姓源于尧时的高士许由。尧想把天下禅让给许由,许由不接受,就逃到箕山隐居起来;尧又请许由做九州长官,许由就到颍水边洗耳,表示不愿意听。后来许由死后就葬在箕山。西周初,周武王把炎帝的裔孙伯夷的后代封在箕山许由隐居之地,建立许国,至战国时许国被楚所灭,其后代就以国为姓。历代许姓名人有:东汉文字学家、《说文解字》的作者许慎,东汉末年曹操的名将许褚,唐代宰相许敬宗、守卫睢阳抗击安禄山的太守许远,元代大儒许衡,现当代有作家许地山、鲁迅的夫人许广平、解放军上将许世友等。许姓在当代百家大姓中排第二十八位。

何姓源于韩姓。战国末期韩国被秦国灭亡后，有韩姓子孙逃到江淮一带，在河边摆渡为生。秦朝官兵搜捕韩氏后裔，此人受到盘查，紧急时指河为姓，逃过劫难，于是就改河为何，遂为何氏。因此何氏在安徽望江一带为望族。历代何姓名人有：东汉末年大将军何进，三国曹魏时名士何晏，南朝宋时天文学家何承天，明代文学家何景明、理学家何瑭，清代书法家何绍基，现当代有共产党创始人之一的何叔衡、著名民主党派人士何香凝和文学理论家、作家何其芳等。何姓在当代百家大姓中排第十八位。

吕姓源于姜姓。炎帝裔孙伯夷协助大禹治水有功，夏初被封于吕，建立吕国（今河南南阳一带），春秋时被楚国所灭，其后代以国为姓氏。另外从吕国分出一支东吕，向东扩展到今新蔡一带，后来被宋国所灭，其后裔也以国为姓。周朝开国功臣吕尚即出自吕国。历代吕姓名人有：秦朝宰相吕不韦，汉高祖刘邦的皇后吕雉，三国时东吴大将军吕蒙，十六国时后凉的创建者吕光，唐代著名道士、被称为"八仙"之一的吕洞宾，北宋宰相吕蒙正、吕端，明代学者吕坤，清代思想家吕留良和他的孙女、传说刺杀雍正皇帝的女侠吕四娘，现当代有抗日名将吕正操等。吕姓在当代百家大姓中排第四十三位。

施姓源自姬姓。春秋时鲁国国君原是周朝宗室，姬姓，鲁惠公的儿子公子尾，字施父，为鲁国大夫，其后人以其祖的字为姓。历代施姓名人有：南宋初行刺秦桧、惨遭杀害的义士施全，元末明初文学家、《水浒传》作者施耐庵，明代天启年间大学士施凤来，清康熙时率兵攻占台湾的水军统领施琅，清代著名清官、《施公案》小说原型人物、施琅次子施世纶，清代文学家施闰章等。

张姓源自黄帝第五子青阳的儿子挥。挥曾任弓正一职，发明并制作了弓箭，被赐姓张，即张姓之祖。还有一支形成于春秋时期。郑樵《通志·氏族略》记载说："晋有解张，字张侯，自此晋国世有张氏，则因张侯之字以命氏可无疑也。"据此可知，晋国解张的后代也是张姓的源头之一。历代张姓名人有：战国时期纵横家张仪，汉朝开国功臣、留侯张良，东汉科学家、文学家张衡，医药学家、医圣张仲景，天师道的教祖张道陵，三国时刘备的结义兄弟、大将军张飞，曹魏大将张辽，南朝梁时画家张僧繇，唐代宰相张说、张九龄，守卫睢阳抗击安禄山的将军张巡，北宋画家、绘成《清明上河图》的张择端，明朝大学士张居正，明朝末年起义军首领、建立了大西朝政权的张献忠，清代大学士张英、张廷玉父子，清末洋务派代表人物张之洞，现当代有著名作家张天翼、画家张大千、解放军大将张云逸等。张姓在当代百家大姓中排第三位。

孔　曹　严　华　　金　魏　陶　姜

孔姓来源较杂。一是出自姜姓，黄帝时史官孔甲为孔氏始祖。二是出自子姓，西周初周武王封殷纣王之兄微子启于宋，传若干代为宋国上卿孔父嘉，即孔子的五世祖。三是姞姓孔氏。四是姬姓孔氏。五是妫姓孔氏。孔姓最著名的人物是春秋时鲁国的孔子，他是儒家的代表人物，中国古代伟大的教育家、思想家。后世的孔姓名人有：东汉经学家、孔子的后裔孔安国，东汉末年文学家孔融，唐朝经学大师孔颖达，清代戏曲作家、《桃花扇》的作者孔尚任，民国时期四大家族之一的孔祥熙等。孔姓在当代百家大姓中排第八十三位。

曹姓源自颛顼后裔陆终的第五子安，大禹时被赐为曹姓，封在曹国，其后世以国为姓。曹姓又源自姬姓。周武王封其弟叔振铎于曹，春秋时为宋国所灭，其后世以国为氏。历代曹姓名人有：春秋时鲁国名士曹刿，西汉初丞相曹参，三国魏国的创始者曹操及其子魏文帝曹丕、陈思王曹植等，北宋初大将军曹彬，宋仁宗的曹皇后及其弟、后来成为"八仙"之一的曹国舅，清代文学家、《红楼梦》的作者曹雪芹，民国时期北洋军阀曹锟，现当代戏剧家曹禺等。曹姓在当代百家大姓中排第十七位。

严姓有两个主要的源头。一是尧时古严国严僖，其后世以国为姓。二是源自庄姓，春秋时楚庄王的子孙"以谥为庄氏"，东汉时因避汉明帝刘庄讳而改姓严。历代严姓名人有：东汉初高士严光，南宋时文学理论家、《沧浪诗话》作者严羽，明朝嘉靖时权臣严嵩，近代思想家严复等。

华姓最早的源头可追溯到炎帝前的部落华胥氏。可考的源头是春秋时期宋国的太宰华督，其家族及后裔皆为华姓。历代华姓名人有：三国时名医华佗，曹魏大臣华歆，明初朱元璋的大将华云龙，当代曾为中国共产党主席、国务院总理的华国锋等。

金姓源自黄帝的儿子少昊，因其号为金天氏，其后裔便以金为姓。后世有少数民族改为金姓。汉代匈奴休屠王太子金日磾（dī）仕于武帝朝，赐姓金氏，其后裔即为金姓。金国后裔及清代满族后裔姓金者较多，其中有改为汉族者。五代十国时吴越王钱镠（liú），因"镠"与"刘"同音，当时本国的刘姓者就去掉繁体"劉"字的卯头和立刀旁，改为姓金。如元朝的金履祥，其祖先就是这时候由刘姓改为金姓的。历代金姓名人有：唐代德宗时曾官将军的画家金忠仪，明代散曲家金銮，清代文学家金圣叹，书画家、"扬州八怪"之一的金农等。金姓在当代百家大姓中排第六十四位。

魏姓源出姬姓。周文王第十五子毕公高的后代有名毕万者封于魏地，后来成为晋国的大族，传到魏桓子时与韩、赵三家瓜分了晋国，后来魏桓子的孙子魏文侯斯建立魏国。自毕万之后，其后代皆姓魏。明朝末年有位戏曲作家毕魏，字万后，其取名与字即与魏姓的来历有关。历代魏姓名人有：战国时魏国公子魏无忌（信陵君），三国时蜀汉大将魏延，北齐史学家魏收，唐初宰相魏征，北宋诗人魏野，明天启年间宦官魏忠贤，清代文学家魏禧，清末思想家魏源等。魏姓在当代百家大姓中排第四十四位。

陶姓源自尧帝，尧在称帝之前被封于陶、唐之地，称陶唐氏，其中一支陶氏后来以陶为姓。又有一说，西周时舜帝的后裔虞阏父任陶正之职，其后代以陶为姓。历代陶姓名人有：东汉末年徐州太守陶谦，东晋时大将军陶侃、曾任彭泽县令的诗人陶渊明，南朝文学家陶弘景，明初学者陶宗仪，当代有共产党领导人之一的陶铸等。

姜姓源自炎帝神农氏。炎帝生于姜水（今陕西岐山），以水名为氏，后裔有四岳、共工，以及西周的齐、吕、申、许等国，这些族人的后裔中有一部分以姜为姓。历代姜姓名人有：西周开国功臣姜太公（即吕尚，又名姜尚），东汉初著名孝子姜诗，三国蜀汉大将军姜维，南宋词人姜夔等。姜姓在当代百家大姓中排第五十位。

戚 谢 邹 喻　柏 水 窦 章

戚姓源自姬姓。春秋时卫国大夫孙林父受封在戚邑（今河南濮阳），其后代便以戚为姓。历代戚姓名人有：汉高祖刘邦的爱妃、后受到吕后残害的戚夫人，宋代画家戚仲，明朝抗倭名将戚继光等。

谢姓源自任姓。相传黄帝的后代有十二支，其中第七支为任姓，任姓又分若干支，其中一支为谢姓。西周末期，周宣王封其舅申伯于谢，建立谢国（今南阳一带），后来被楚国灭掉，谢国、谢邑的后裔皆以谢为姓。历代谢姓名人有：东晋宰相谢安、大将军谢玄、才女谢道韫，南朝诗人谢灵运、谢朓，南宋末诗人谢枋得，明朝文学家谢榛，现当代有无产阶级革命家谢觉哉等。谢姓在当代百家大姓中排第二十四位。

邹姓源自姚帝舜。帝舜后裔有一支在商朝时建立邹国，到春秋时被曹姓邾人所夺，后来又被齐、楚所灭，其后代皆以邹为姓。又有一说源自子姓宋国公族宋考父，因食邑于邹，其子孙就以邹为姓。历代邹姓名人有：战国时齐国宰相邹忌，西汉文学名士邹阳，明代名臣邹应龙、邹元标，画家邹迪光，清末革命家邹容，现代著名作家、出版家邹韬奋等。邹姓在当代百家大姓中排第七十位。

喻姓源出汉代苍梧太守谕猛，改姓喻氏。宋代有俞樗，被皇帝赐姓喻氏。历代喻姓名人有：西晋初著名隐士喻合，宋代名匠、开宝寺塔的建造者喻皓，明代著名兽医喻仁，明末清初名医喻昌，清代康熙年间湖广总督喻成龙等。

柏姓源自远古时的柏皇氏。其部族以柏木为图腾，其首领柏芝为伏羲的助手，有功于民而不居功，被尊为柏皇，其后裔以柏为姓。又有一说，春秋时有柏国（在今河南西平），后为楚国所灭，其后人以柏为姓。历代柏姓名人有：西汉初魏王豹部下勇将名柏直，唐代玄宗时随李光弼平安禄山乱有功、升至大将军的柏梁器，明代治水良臣柏丛桂，清代书法家柏谦等。

水姓源自大禹。相传大禹因治水有功，其后人有一支居住在浙江鄞县的，以水为姓。或有一说，远古时有一支居住在水边的部族，以水为姓。历代水姓者较少，明初有无锡人水甦民官福建邵武知县；明万历时有鄞县人水乡谟，中进士后官宁国知县，其子水佳胤也中进士，官至礼部侍郎。

窦姓源自夏朝的姒姓。夏朝第四代国君帝相时遭寒浞之乱，怀孕的皇后从墙洞中逃回娘家有仍氏，并生了儿子少康。帝相复位后，为纪念这次国难，就赐小儿子为"窦氏"。后来少康次子龙留，居有仍，就以窦为氏。历代窦姓名人有：西汉丞相窦婴，东汉大司空窦融，大将军窦宪、窦固、窦武，隋末起义军首领窦建德，五代时名臣窦禹钧及其五个儿子窦仪、窦俨等，元代名臣窦默等。

章姓源自姜姓。姜太公孙辈有一支封于鄣地，春秋时被齐国所灭，其后代以鄣为姓，后又去掉偏旁为"章"姓。历代章姓名人有：秦朝大将章邯，北宋权臣章惇，明代学者章潢，清代史学家章学诚，清末学者章炳麟等。

云 苏 潘 葛 奚 范 彭 郎

云姓源自黄帝时的夏官缙云氏，其后代即以云为姓。又有一说，西周时有䢵国（在今湖北安陆），春秋时被楚国所灭，其后人即以云为姓。历代云姓名人有：隋代大将军云定兴，唐代著名乐师云朝霞，宋代慈州知州云景龙，元代行省参政云从龙等。

苏姓源自颛顼后裔昆吾。昆吾之子在夏代被封于有苏，称有苏氏。周初，武王把有苏氏首领苏忿生任命为司寇，封在温地（今河南温县），建立苏国，春秋时苏国灭亡，其后代以苏为姓。历代苏姓名人有：战国时纵横家苏秦，西汉时出使匈奴被扣留十九年的苏武，十六国时期前秦才女苏蕙，唐朝大将苏定方，北宋文学家苏洵、苏轼、苏辙父子三人，元代名臣苏天爵，近现代文学家苏曼殊等。苏姓在当代百家大姓中排第四十一位。

潘姓主要有两个源头。一是源自姬姓。周文王第十五子毕公高把小儿子封在潘邑，潘邑灭亡，其后人以邑为姓。二是源自芈姓。楚成王的太子商臣的老师名潘崇，商臣继承王位为楚穆王，尊潘崇为太师，食邑于潘，其后人以潘为姓。历代潘姓名人有：三国吴国大将潘璋，晋代文学家潘岳，北宋大将潘美，明朝治理黄河专家潘季驯等。潘姓在当代百家大姓中排第三十六位。

葛姓源自夏朝伯益。伯益的后裔被封于葛（今河南宁陵），其后人以国为氏。历代葛姓名人有：秦朝末年陈胜起义军将领葛婴，晋代被称为葛仙翁的葛洪，北魏时起义军首领葛荣，清代鸦片战争时抗英名将葛云飞等。

奚姓源自黄帝的支系任姓。夏禹时有发明车辆并任车正一职的奚仲，后人以他的名字为姓氏。历代奚姓名人有：孔子弟子奚容箴，汉初开国功臣、被封为鲁侯的奚涓，南宋名臣奚士逊，明代抗倭英雄奚世亮，清代画家奚冈等。

百家姓

范姓源自黄帝的支系之一的祁姓。尧帝的后裔刘累裔孙隰叔,仕晋为士师,子芳以官姓士氏,后受封于范邑(今河南范县),世为晋卿,以邑为氏。历代范姓名人有:战国时秦相范雎,秦末项羽的谋士范增,南朝史学家、《后汉书》作者范晔,南朝思想家、无神论者范缜,北宋政治家、文学家范仲淹,南宋诗人范成大,清初名臣范文程,清乾隆时围棋国手范西屏,现当代历史学家范文澜等。范姓在当代百家大姓中排第五十一位。

彭姓源自颛顼裔孙陆终氏第三子篯铿。他善于制作鼓,又称彭祖,封于彭(今河南原阳一带),建立彭国,商朝时被武丁所灭,其后裔以彭为姓。历代彭姓名人有:西汉初年被封为梁王的彭越,东汉渔阳太守彭宠,明朝正统年间状元、大学士彭时,清初画家彭孙贻,清代文学家彭孙遹、彭定求、彭而述,现当代有解放军元帅彭德怀、全国人大委员长彭真等。彭姓在当代百家大姓中排第三十五位。

郎姓源自春秋时鲁懿公的孙子费伯,他的封地在郎邑(今山东西南部),其后人以郎为姓。历代郎姓名人有:东汉星相家郎宗、郎颛父子,唐代诗人郎士元,清代名臣郎永清及其子郎廷佐、郎廷相、郎廷极,画家郎际昌等。

鲁　韦　昌　马　　苗　凤　花　方

鲁姓源自姬姓。西周初周公被封在东方,建立鲁国,鲁国前后经历数百年,其后裔中有一部分就以鲁为姓。历代鲁姓名人有:战国时名士鲁仲连,东汉名儒鲁恭,三国时东吴都督鲁肃,明代弘治朝状元鲁铎,明代成化至正德年间祖孙三代戍守西北边疆的鲁鉴、鲁麟、鲁经,清代书画家鲁得之等。

韦姓源自彭姓。夏王少康把颛顼的后裔大彭的族裔封于豕韦(今河南滑县),后来被商汤所灭,其后人便以韦为姓。历代韦姓名人有:汉代名臣、父子皆为丞相的韦贤、韦玄成,唐代名将韦皋,名臣韦见素，诗人韦应物、韦庄，唐中宗的韦皇后，清代后期太平天国北王韦昌辉等。

昌姓源自黄帝与正妃嫘祖所生之子昌意。昌意的后裔有一些人以昌为姓。历代昌姓者较罕见，今知有南朝梁时护军将军昌义之等。

马姓源自赵姓。战国时赵国赵奢被封为马服君，其子孙以马为姓。历代马姓名人有：东汉初大将军马武、马援，东汉末经学家马融，三国时蜀汉名将马超、谋臣马良及其弟马谡、巧匠马钧，唐代名臣马周，五代十国时楚国的创建者马殷，元代戏曲家马致远，现当代有著名学者马叙伦、马寅初，音乐家马可等。马姓在当代百家大姓中排第十四位。

苗姓源自芈姓。春秋时楚国公族大夫伯棼的儿子贲皇逃奔晋国，被晋君封在苗邑（今河南济源），其后人以邑名为姓。历代苗姓名人有：唐朝宰相苗晋卿，苗晋卿之子、"大历十才子"之一的苗发，明代兵部尚书苗衷，清代后期太平天国的叛徒苗沛霖等。

凤姓源自少昊时的历正凤鸟氏，其后代有人以凤为姓。又有一说，唐朝时南诏王阁罗凤的后代中有不少人汉化后姓凤，所以后世滇、黔一带的人多有姓凤者。凤姓者名人较稀少，今知汉代有凤纲，能采百花为药，得以长寿；明代末年有吴县人凤翕如，任汉阳通判时抗击张献忠，因功升衡州知府。

花姓源自黄帝的支系子姓。一说古时由"华"姓转为花姓。历代花姓名人有：唐代名将花敬定，元朝末年朱元璋部下大将花云，明初武将花茂、花英父子等。文学作品中人物有《水浒传》中的花荣和戏曲中的花木兰等。

方姓源自炎帝后裔榆罔之长子。因协助黄帝讨伐蚩尤有功被封在方山，称为方雷氏，其子孙以方为姓。又一说是周宣王的卿士方叔，因功受到犒赏，其后人以方为姓。历代方姓名人有：北宋末年农民起义领袖方腊，明初建文朝臣方孝孺，清初学者方以智，清代文学家方苞，现当代有中国工农红军的缔造者之一方志敏等。方姓在当代百家大姓中排第六十三位。

俞 任 袁 柳　鄷 鲍 史 唐

俞姓源自黄帝时的名医俞跗，其后人以俞为姓。历代俞姓名人有：春秋时著名琴师俞伯牙，明初开国功臣俞通海，明代中期抗倭名将俞大猷，清代学者俞正燮，清末有文学家、学者俞樾，现当代学者俞平伯等。

任姓有三个源头。清代张澍在《姓氏寻源》中说："任姓有三：己姓之任，帝魁母家姓也；风姓之任，太昊后，主济祀，今济州任城是也；任姓之任，即黄帝之孙颛帝少子禹阳封任者。"现在通行的说法是后两种，即风姓之任和任姓之任。历代任姓名人有：春秋时孔子的学生任不齐，秦朝时力士任鄙，西汉名臣、司马迁的朋友任安，三国时魏国中郎将任峻，明代抗倭名将任环，清代画家任熊、任颐，现当代中国共产党领导人任弼时、著名学者任继愈等。任姓在当代百家大姓中排第五十九位。

袁姓源自陈姓。陈氏始祖陈胡公后裔中有一位叫伯爰的，仕陈为上卿，其孙子涂涛赐邑于阳夏（今河南太康），因祖父的名字为姓，写作辕，称为辕涂涛，其后代以辕为姓，又去掉车旁写作袁。历代袁姓名人有：西汉时名臣袁盎，东汉末年军阀袁绍、袁术，明代文学家、被称为"公安三袁"的袁宏道、袁宗道、袁中道，明末大将军袁崇焕，清代文学家袁枚，近代中华民国总统袁世凯，当代戏剧家袁雪芬，农业科学家、被称为"水稻之父"的袁隆平等。袁姓在当代百家大姓中排第三十七位。

柳姓源自姬姓，系出展氏。鲁公子夷伯孙无骇子展获，字禽，食邑柳下，其字季，又称柳下惠或柳下季，后代即以柳为姓。历代柳姓名人有：唐初仪凤年间儒生柳毅（其为龙女传书故事写入传奇《柳毅传》），唐代文学家柳宗元、书法家柳公权，北宋散文家柳开、词人柳永，元代文学家柳贯，明末说书艺人柳敬亭，明末名妓、钱谦益妾柳如是等。

酆姓源自姬姓。周文王少子受封为酆侯，其后人以酆为姓。后世酆姓很稀少，今知春秋时有潞国执政酆舒，被晋国攻杀；宋代有著名道士酆去奢等。当代有姓酆者，已将酆字简化为丰。

鲍姓源自夏朝的姒姓。禹的后裔有鲍敬叔，春秋时仕齐为大夫，食采于鲍地，其后代以鲍为姓。历代鲍姓名人有：齐桓公时管仲好友鲍叔牙，西汉末年直言进谏的名臣鲍宣，南朝文学家鲍照及其妹鲍令晖，清代藏书家鲍廷博等。

史姓源自古代的史官。最早的史官是黄帝时的仓颉，后世称之为"史皇"，其后裔以史为姓。周代其他史官也有以史为姓的，如周宣王时太史史籀、晋国的太史史黯等，其后代也以史为姓。历代史姓名人有：西汉黄门令史游，唐代武则天时朝臣史务滋，安禄山部将史思明，南宋宰相史弥远、词人史达祖，元朝武臣史天泽，明末抗清名臣史可法等。史姓在当代百家大姓中排第八十五位。

唐姓主要有两个源头。一是帝尧为陶唐氏，其后裔有姓陶者，亦有姓唐者。舜时封尧的儿子丹朱为唐侯，历夏商至西周被周公所灭，其后人即以唐为姓。二是西周初成王封其弟叔虞于唐（在今山西），称为唐叔虞，后来叔虞改封为晋侯之后，其子孙中也有以唐为姓者。历代唐姓名人有：战国时魏国大夫唐雎，明代农民起义军女首领唐赛儿，文学家、画家唐寅，散文家唐顺之，清代思想家唐甄、戏曲作家唐英，近代民国时期国务总理唐绍仪等。唐姓在当代百家大姓中排第二十五位。

费 廉 岑 薛　雷 贺 倪 汤

费姓有两个源头。一是系出嬴姓，费读 fèi。伯益佐大禹治水有功被封于费，又称大费，其少子若木继任费君，后代以费为姓。二是源自姬姓，费读 bì。鲁桓公少子季友以费（bì）为封邑，其后代也以费（bì）为姓。历代费姓名人有：殷商末年纣王的大臣费仲，春秋时楚国大臣费无极，西汉经学家费直，东汉方士费长房，三国蜀汉名臣费祎，清代诗人费锡琮、费锡璜兄弟，当代社会学家费孝通等。

廉姓源自颛顼之孙伯益之子大廉，其后代以廉为姓。历代廉姓名人有：战国时赵国大将军廉颇，东汉义士廉范，明代成化年间都督佥事廉广等。

岑姓源自姬姓。周文王封其侄渠于岑，其后代以岑为姓。历代岑姓名人有：东汉初大将军岑彭，唐代诗人岑参，清代云贵总督岑毓英等。

薛姓有两个源头。一是源自任姓。黄帝小儿子禺阳受封于任国，其十二世孙奚仲在夏禹时为车正，受封于薛，至战国时期为齐国所灭，其后代以薛为姓。二是源自妫姓。田氏代齐之后的齐王封齐相田婴于薛，其子孟尝君袭封，后来秦灭齐后其子孙南迁，也以薛为姓。历代薛姓名人有：西汉名臣薛广德，隋代文学家薛道衡，隋末割据军阀薛举，唐初大将薛仁贵，唐代文学家薛用弱、才女薛涛，南宋学者薛季宣，明代理学家薛瑄，清末外交官薛福成等。薛姓在当代百家大姓中排第七十六位。

雷姓源自炎帝后裔榆罔之长子。因协助黄帝讨伐蚩尤有功被封在方山，称为方雷氏，其子孙或姓方氏，或姓雷氏。历代雷姓名人有：东汉尚书侍郎雷义，西晋象数学家雷焕，唐代乐师雷海青，"安史之乱"时协助张巡、许远守睢阳的大将雷万春，当代有共产主义战士雷锋。雷姓在当代百家大姓中排第七十八位。

贺姓源自庆氏。齐桓公孙子公孙庆克，其子因父名而叫庆封。庆封一度专权，败后逃亡到江南，其子孙以庆为姓。东汉时避安帝之父刘庆之讳而改庆为贺。历代贺姓名人有：隋朝大将贺若弼，唐代诗人贺知章，北宋词人贺铸，当代解放军元帅贺龙、诗人贺敬之等。贺姓在当代百家大姓中排第九十三位。

倪姓源自颛顼的后裔郳国之君。邾武公把他的次子肥封于郳邑（今山东滕县），战国时被楚国所灭，其后人就以郳为姓。曾因避仇改为姓兒，后来又添加单人旁为倪。历代倪姓名人有：西汉名臣兒宽，元代书画家倪瓒，明末崇祯时官至户部尚书的倪元璐，阉宦魏忠贤的党羽、御史倪文焕等。

汤姓源自商汤。其后裔中有一部分人以汤为姓。历代汤姓名人有：明初开国功臣汤和，明代中期抗倭名将汤克宽，戏曲家汤显祖，清代名臣汤斌，现代有国民党将领汤恩伯等。

滕 殷 罗 毕　郝 邬 安 常

滕姓源自黄帝的十二个支姓之一。西周初，武王封其弟叔秀于滕国（今山东滕县），后来被宋国所灭，其后人以滕为姓。历代滕姓名人有：北宋时主持重修岳阳楼的滕宗谅，元代文学家滕斌，明代御史滕昭、滕祐，现当代有共产党领导人滕代远等。

殷姓源自商朝之姓。商自盘庚迁都于殷，称为殷商，其后代有一部分人以殷为姓。历代殷姓名人有：晋代名臣殷羡、殷浩、殷颢、殷仲堪，唐初名将殷开山，唐代道士殷七七，明代隆庆时大学士殷士儋等。

罗姓源自古罗国。颛顼的孙子祝融氏之后，因善结网罗捕飞鸟，称为罗部族，西周初建立古罗国，春秋时被楚国所灭，其子孙以罗为姓。历代罗姓名人有：汉代巨商罗裒，隋末唐初大将军罗艺，唐代诗人罗邺、罗虬、罗隐，元末明初小说家、《三国演义》作者罗贯中，清代画家罗聘，清后期太平天国将领罗大纲，近现代考古学家罗振玉、语言学家罗常培，当代有解放军元帅罗荣桓、大将罗瑞卿等。罗姓在当代百家大姓中排第二十三位。

毕姓源自姬姓。周文王子毕公高的后裔中，在晋国有毕万，其后代以毕为姓。历代毕姓名人有：北魏名将毕祖朽、毕祖晖、毕义云，唐末名将毕师铎，北宋名将毕再遇、发明活字印刷术的毕升，明末戏曲作家毕魏，清代名臣毕沅等。

郝姓源自伏羲时的郝省氏。其后裔在商代被封于太原郝乡，后代便以郝为姓。历代郝姓名人有：三国曹魏名将郝昭，唐代名臣郝处俊，元代学者郝经，明末李自成起义军将领郝摇旗，当代有著名劳动模范郝建秀等。郝姓在当代百家大姓中排第八十二位。

邬姓源自春秋时晋国大夫邬臧，其后代以邬为姓。又晋国大夫司马弥牟以邬为封邑，其后代也以邬为姓。历代邬姓名人有：唐代书法家邬彤，明代嘉靖时御史邬连、驸马都尉邬景和，清代画家邬希文等。

安姓源自黄帝。黄帝后裔有一支居于西方，自号安息国，其后代有一部分以安为姓。历代安姓名人有：秦朝时方士安期生，北魏大将军安同、安原父子，唐代武则天时名臣安金藏，唐代叛臣安禄山，北宋名臣安惇，清末慈禧太后的太监安得海等。

常姓源自黄帝时的常先、常仪。此二人以善作工程、律历而受重用，其后代以常为姓。又有一说，春秋时卫国支孙封邑于常（今山东滕县一带），其后代以常为姓。历代常姓名人有：十六国的成汉有《华阳国志》作者常璩，北宋初大将军常思德，明初开国功臣常遇春，当代有豫剧大师常香玉等。常姓在当代百家大姓中排第八十七位。

乐　于　时　傅　　皮　卞　齐　康

乐姓源自子姓。春秋时宋国公子衎字乐父，孙子夷父须称乐氏，其后代便以乐为姓。历代乐姓名人有：战国时燕国将军乐毅，三国曹魏名将乐进及其子乐琳，北宋地理学家、《太平寰宇记》作者乐史等。

于姓源自姬姓。周武王把他的第二个儿封于邘（在今河南沁阳邘台），后世去邑旁为于氏。历代于姓名人有：西汉时东海太守于公及其子丞相于定国，三国曹魏名将于禁，明代兵部尚书于谦，清代著名清官、两江总督于成龙等。于姓在当代百家大姓中排第三十八位。

时姓源自宋国子姓。春秋时宋国大夫有名来者受封于时，其后代以封邑为姓。历代时姓名人有：东汉中郎将时苗，北宋学者时少章，金国开府仪同三司、封郑国公的时立爱，南宋张孝祥的岳父时橄等。

傅姓源自姬姓。黄帝裔孙大由封于傅邑，后代以傅为姓。或说傅姓出自商时名相傅说，但傅说所在的傅险（即傅岩）是否即是傅邑之地，尚无定论。历代傅姓名人有：东汉文学家傅毅，三国曹魏名臣傅嘏，唐武则天时宠臣傅游艺，明初开国功臣傅友德，清初名士、文学家傅山，清初顺治年间状元、后官至大学士的傅以渐，现当代有国民党北平起义将军傅作义、画家傅抱石等。傅姓在当代百家大姓中排第五十三位。

皮姓源自樊姓。春秋时鲁献公次子仲山甫受封于樊（今河南济源），后裔中有樊仲皮者仕于周，其子孙以皮为姓。历代皮姓名人有：北齐有尚书令皮景和，晚唐诗人皮日休，皮日休之子、吴越国丞相皮光业，当代有解放军上将皮定均等。

卞姓源自黄帝之子龙苗。龙苗之孙龙受封在卞（今山东泗水），其后代以卞为姓。历代卞姓名人有：春秋时鲁国勇士卞庄子，楚国发现和氏璧美玉的卞和，三国曹操妃妾卞氏、魏文帝曹丕之母卞皇太后，明代户部郎中卞荣，现当代有诗人卞之琳等。

齐姓源自姜姓。姜姓建立齐国，齐国后裔中有一部分以齐为姓。历代齐姓名人有：唐代与韩愈同中"龙虎榜"进士的齐季若，明初建文朝臣齐泰，清代文学家齐彦槐，清代地理学家齐召南等。

康姓源自姬姓。卫康叔的后代有一部分人以康为姓。历代康姓名人有：唐代乐师康昆仑，南宋词人康与之，元代曲家康进之，明代状元、文学家康海，清末改良派代表人物康有为等。康姓在当代百家大姓中排第九十二位。

伍　余　元　卜　　顾　孟　平　黄

伍姓源自黄帝时大臣伍胥，其后代以伍为姓。又一说源自芈姓，春秋时楚国大夫伍参的后裔皆姓伍。历代伍姓名人有：春秋时楚国公族有伍举、伍奢、伍员（伍员后来为吴国大将军），东汉末年曾行刺董卓的伍孚，明代兵部尚书伍文定，清代刻书家伍崇曜等。

余姓源自春秋时秦国由余。由余曾避难于西戎，出使秦国，受秦穆公重用，官至上卿，其后代以余为姓。历代余姓名人有：宋朝名臣余靖、余玠，明代刊刻通俗小说的名家余象斗，清代文学家余怀、画家余集，近代有京剧艺术家余叔岩等。余姓在当代百家大姓中排第四十一位。

元姓有多个源头。一是商朝太史元铣，二是春秋时卫国大夫元咺，三是魏武侯之子公子元，他们的后代都有以元为姓者。还有北魏拓跋氏，汉化之后亦姓元氏。历代元姓名人有：唐代诗人元稹、元结，唐代宗时权臣元载，北宋参知政事元绛，金国文学家元好问等。

卜姓源自古代职掌占卜之官。商周时都有这样的官职，他们的后代便以卜为姓。历代卜姓名人有：春秋时晋国大夫卜偃，孔子弟子卜商，西汉御史大夫卜式，南朝宋时广威将军卜天与，明末戏曲作家卜世臣等。

顾姓源自夏朝的顾国。颛顼后裔吴回在帝喾时职掌火正，吴回有一个孙子封在昆吾国（在今河南许昌），昆吾国在夏朝受封为顾国，后为商所灭，其后代以顾为姓。历代顾姓名人有：三国孙吴名臣顾雍，东晋画家顾恺之，南朝文学家、书画家顾野王，唐代诗人顾况，明末东林党人顾宪成，明末清初思想家顾炎武，清代史地学家、《读史方舆纪要》作者顾祖禹等。顾姓在当代百家大姓中排第八十九位。

孟姓起源很早，颛顼帝有臣名孟翼，舜有臣孟夸，夏启有臣孟涂，他们的后代可能有姓孟者。一般说法是孟姓源自姬姓。林宝《元和姓纂》记云："孟，鲁桓公子庆父之后，号曰孟孙，因以为氏。又卫襄公长子孟挚之后，亦曰孟氏。"据此知孟姓之源分别出自鲁国和卫国。历代孟姓名人有：春秋时儒家代表人物孟轲（孟子），战国时武士孟贲，汉代高士孟敏、孟尝，三国孙吴著名孝子孟宗，唐代诗人孟浩然、孟郊，五代时后蜀的创建者孟知祥，明代诗人孟洋，明末戏曲作家孟称舜等。孟姓在当代百家大姓中排第七十三位。

平姓有两个源头。一是源自春秋时齐国晏婴。晏婴字平仲，其后代有人以平为姓。二是战国时韩哀侯少子婼，食邑于平，其后代以平为姓。历代平姓名人有：西汉丞相平当及其子平晏，明初武将平定及其子平安，清末学者平步青等。

黄姓源自颛顼帝的曾孙陆终。陆终的后裔受封于黄，建立黄国（今河南潢川一带），后为楚国所灭，其后代以黄为姓。又有一说是源自嬴姓，是东夷部落伯益后裔十四姓之一。历代黄姓名人有：战国时楚国贵族春申君黄歇，西汉丞相黄霸，东汉孝子黄香，三国蜀汉大将黄忠，吴国大将黄盖，唐末农民起义领袖黄巢，北宋文学家、书法家黄庭坚，元代纺织技术专家黄道婆，明末思想家黄宗羲，清代书画家黄慎，清末改良派思想家黄遵宪、民主革命家黄兴，现当代音韵学家黄侃、解放军大将黄克诚等。黄姓在当代百家大姓中排第七位。

和 穆 萧 尹　姚 邵 湛 汪

和姓源自上古时带"和"字的职官。如尧时掌天地之官为羲和，又有和仲、和叔等，皆以职官为氏，他们的后代以和为姓。又有楚国得到和氏璧美玉的卞和，其后代也有人以和为姓。历代和姓名人有：北齐权臣和士开，五代后周名臣、诗人和凝，明代进士和鹏、襄阳知府和鸾等。

穆姓源自春秋时国君谥号带有"穆"字者，如宋穆公、鲁穆公、楚穆王、秦穆王等，其后代有人以穆为姓。历代穆姓名人有：西汉名士穆生，北宋初文学家穆修，明代理学家穆孔晖等，戏曲人物家喻户晓者有穆桂英等。

萧姓源自子姓。微子的后裔有一支封于萧邑。宋湣公遭南宫万之乱时，诸公子逃到萧邑，当时萧邑大夫大心与诸公子组织军队，平定叛乱，宋桓公即位，大心因功被封为萧叔，建立萧国，后来被楚国所灭，其后代便以萧为姓。历代萧姓名人有：西汉开国功臣、丞相萧何，萧何后裔南朝齐高帝萧道成、梁武帝萧衍，唐代散文家萧颖士，南宋词人萧德藻，清初画家萧云从，清后期太平天国将领萧朝贵，现当代中国共产党早期青年运动领导人萧楚女、女作家萧红等。萧姓在当代百家大姓中排第三十位。

尹姓有两个源头。一是少昊之子殷，为工正，封于尹城，西周初又建立尹国（在今河南宜阳），后来为郑国所灭，其后代以尹为姓。二是商代有"师尹"之官，其后代以尹为姓。历代尹姓名人有：周宣王贤臣尹吉甫，老子弟子尹喜，东汉经学家尹敏，北宋文学家尹洙，清代乾隆时文华殿大学士尹继善，当代有历史学家尹达等。尹姓在当代百家大姓中排第九十五位。

姚姓有两个源头。一是出自舜。《新唐书·宰相世系》记云："姚姓，虞舜生于姚墟，因以为姓。"二是出自战国田齐。田齐的后裔在西汉末年有田丰者被王莽封为代睦侯，其子田恢避王莽之乱逃到江南吴郡，改姓妫，其五世孙名敷者又改姓姚。历代姚姓名人有：十六国后秦的创建者姚苌，唐代宰相姚崇、诗人姚合，元代名臣姚枢、文学家姚燧，明代永乐朝名臣姚广孝，清代文学家姚鼐、戏曲研究家姚燮等。姚姓在当代百家大姓中排第六十二位。

邵姓源自姬姓。周武王封其庶弟姬奭于召（今陕西岐山），世称召公，其子孙世袭召公爵位。战国时其后裔将召字加邑偏旁为邵，于是以邵为姓，或写作召。历代邵姓名人有：秦朝隐士召平，西汉名臣召信臣，北宋文学家、术数家邵雍及其子邵伯温，元末明初学者邵亨贞，清代学者邵长蘅，现当代民主党派人士邵力子、新闻家邵飘萍、文学理论家邵荃麟等。邵姓在当代百家大姓中排第八十四位。

湛姓有两个源头。一是源自夏朝宗族姒姓。夏同姓有诸侯斟灌氏，其后代把斟灌二字各取一半为"湛"字，作为姓氏。二是源自地名。古时有湛水、湛城，此地有人以湛为姓。历代湛姓名人有：唐代进士湛贲，五代十国时闽国御史大夫湛温，明代理学家湛若水等。

汪姓有两个源头。一是出自古代汪芒氏国。清代张澍《古今姓氏书辨证》云："出自古诸侯汪芒氏之裔。"二是出自鲁国姬姓，张澍《姓氏寻源》云："汪氏之先出鲁成公支子，食采于汪，因以为氏。"历代汪姓名人有：春秋时鲁国英雄少年汪踦，唐代李白的朋友、诗人汪伦，南宋初绍兴年间状元、名臣汪应辰，明代抗倭名将、文学家汪道昆，明代戏曲作家汪廷讷，清代文学家汪琬，清末京剧作家、艺术家汪笑侬，现代大汉奸汪精卫等。汪姓在当代百家大姓中排第五十六位。

祁 毛 禹 狄　米 贝 明 臧

祁姓来源较杂。一是黄帝有子名祁豹，其后代以祁为姓。二是帝尧原为伊祁氏，其后代也有以祁为姓者。三是周朝有掌管兵甲的官职，其后代也有人以祁为姓。四是春秋时晋献公四世孙奚有被封于祁（今山西祁县），其后代以祁为姓。历代祁姓名人有：春秋时晋国大夫祁奚及其子祁午、孙祁盈，北宋初名将祁廷训，明末名臣、戏曲家祁彪佳，清代边疆史地学家祁韵士及其子大学士祁寯藻等。

毛姓源自姬姓。周文王第八子叔郑受封于公爵毛国（在今陕西岐山一带），其子孙世袭周朝卿士，以毛为姓；周文王第九子姬明也受封于毛国（在今河南宜阳东北），其后代也以毛为姓。历代毛姓名人有：战国时赵国平原君门客毛遂，西汉时治《诗经》的学者毛亨（大毛公）、毛苌（小毛公），西汉画师毛延寿，北宋词人毛滂，明末藏书及刻书家毛晋，清代文学家毛先舒、毛奇龄、毛际可，评点《三国演义》的小说评论家毛宗岗，当代中国共产党领袖、中华人民共和国缔造者毛泽东等。毛姓在当代百家大姓中排第八十六位。

禹姓源自大禹。大禹后裔曾建立鄅国，春秋时为鲁国所灭，其后代以鄅为姓，后又去掉偏旁为禹。历代禹姓名人有：金国将军禹显，明代仁寿知县禹祥，清代画家禹之鼎等。

狄姓源自周成王的舅父孝伯。孝伯被封于狄城（今山东博兴），其后代以狄为姓。历代狄姓名人有：春秋时能造出"千日醉"酒的狄希，唐代武则天时名臣狄仁杰，北宋大将军狄青、龙图阁学士狄棐等。

米姓源自楚国芈姓，因芈与米同音而改为米。又有一说是源自西域米国，其后代到内地定居而汉化，以米为姓。历代米姓名人有：北宋名将米信、书法家米芾，南宋末名将米立，明末画家米万钟等。

贝姓源自姬姓。召公的后裔有封于贝丘（在今河北、山东交界处）者，其国亡后，后代以贝为姓。又有一说出自鲁康公支子，因食采于巨野之浿水，后为鄍国，子孙去邑偏旁为贝氏。历代贝姓名人有：北宋时江阴知县贝钦世，明初参与修撰《元史》的学者贝琼、国子祭酒贝泰，现当代民主党派名人贝时璋、建筑设计大师贝聿铭等。

明姓源自燧人氏的"四佐"之一的明由，其后代以明为姓。又春秋时秦国大夫百里奚之子孟明视，其后代也有人以明为姓。历代明姓名人有：南朝宋冀州刺史明僧胤，其弟名儒明僧绍，僧绍之子南朝梁时东宫学士兼国子祭酒明山宾，唐武则天时正谏大夫明崇俨，元末割据于四川的军阀明玉珍及其子明升等。

臧姓源自鲁国姬姓。鲁孝公子彄受封于臧（在今山东境内），其后代世袭鲁卿,以臧为姓。历代臧姓名人有:东汉名将臧宫,南朝宋经学家臧焘及其孙臧凝之,明代文学家、编刻《元曲选》的臧懋循,清代文字学家臧琳,当代诗人臧克家等。

计 伏 成 戴　谈 宋 茅 庞

计姓源自少昊。周武王封少昊氏的后裔于莒,因初都于计斤,其后代以计为姓。历代计姓名人有:春秋时越国范蠡之师计然,三国孙吴末年车骑将军计昭,南宋初名臣、《唐诗纪事》作者计有功,清初名士计东、史学家计六奇等。

伏姓源自伏羲。伏羲的后代有一部分人以伏为姓。历代伏姓名人有:西汉经学家伏胜及其女儿伏羲娥,东汉大司徒伏湛,东汉末汉献帝的伏皇后,唐代名医伏适等。

成姓源自姬姓。周文王第五子叔武受封于郕(今山东宁阳一带),又称为郕叔武,其后代把郕去掉偏旁,以成为姓。历代成姓名人有:春秋时楚国大将成得臣,三国曹魏时司马昭死党成济,西晋文学家成公绥,明崇祯时大学士成基命,清康熙时秘书院大学士成克巩等。

戴姓源自宋国子姓。宋戴公的后裔,以其谥号戴为姓。又一说是源自姬姓。西周初分封诸侯有戴国(在今河南民权),后为郑国所灭,其后代以戴为姓。历代戴姓名人有:西汉时传《大戴礼记》和《小戴礼记》的戴德、戴圣叔侄,晋代画家戴逵,唐代诗人戴叔伦,元代文学家戴良、戴表元,明代名臣戴铣,清代《南山集》作者戴名世,思想家、学者戴震等。戴姓在当代百家大姓中排第五十七位。

谈姓源自春秋时宋国子姓。宋国末代国君为谈君,其后代以谈为姓。又有一说是晋国大夫籍谈的后代姓籍,因避楚霸王项籍讳而改为姓谈。历代谈姓名人有:北宋枢密院编修谈钥,明末清初历史学家谈迁,清代画家谈炎衡、谈友仁父子等。

宋姓源自春秋宋国子姓。西周初周武王把殷纣王之兄微子启封于宋，微子之孙稽正式就封，建立宋国，战国时宋国被齐、魏、楚三国所灭，其后裔以宋为姓。历代宋姓名人有：战国时楚国楚辞家宋玉，楚国上将军宋义，唐代宰相宋璟、诗人宋之问，北宋名臣与文学家宋庠、宋祁兄弟，北宋末年农民起义领袖宋江，明代科学家宋应星，明末李自成起义军的军师宋献策，清代文学家宋荦、宋琬，近代民主革命家宋教仁，现代民国时期宋氏家族宋子文、当代中华人民共和国副主席宋庆龄等。宋姓在当代百家大姓中排第二十三位。

茅姓源自姬姓。周公支子封于茅，封地初在今河南辉县，后迁至今山东金乡一带，后为邹国所灭，其后代以茅为姓。历代茅姓名人有：秦朝名臣茅焦，明代文学家茅坤，清代学者茅星来，现当代铁路、桥梁科学家茅以升等。

庞姓源自姬姓。周文王之子毕公高有庶支受封于庞，其后代以庞为姓。一说源自颛顼高阳氏，高阳氏才子、"八恺"之一的庞降之后，以庞为姓。历代庞姓名人有：战国时魏国大将军庞涓，东汉末年著名隐士庞德公、刘备的军师庞统、曹操的大将庞德，清道光时内阁学士庞钟璐，当代学者庞朴等。

熊 纪 舒 屈　项 祝 董 梁

熊姓源自黄帝。黄帝号有熊氏，其后代有一部分人以熊为姓。又有一说是楚先祖鬻熊，其后代也有以熊为姓者。历代熊姓名人有：春秋时楚国勇士熊宜僚，北朝经学家熊安生，明代通俗小说刊刻家熊大木，清代吏尚书熊赐履，当代数学家熊庆来等。熊姓在当代百家大姓中排第七十二位。

纪姓源自姜姓。西周初封炎帝后裔于纪（今山东寿光纪台一带），后为齐国所灭，其后代以纪为姓。历代纪姓名人有：春秋时善射箭者纪昌，楚汉相争时刘邦的将军纪信，元代曲家纪君祥，明代宪宗皇后、孝宗之母纪太后，清代名臣纪昀等。

舒姓源自尧时大理官皋陶。皋陶后裔在西周初被封于舒（在今安徽舒城一带），后为楚国所灭，其后代以舒为姓。历代舒姓名人有：唐代御史中丞舒元舆，北宋御史中丞舒亶，明代正德年间状元舒芬，清代文学家舒位，现当代作家舒舍予（老舍）、书法家舒同等。

屈姓源自芈姓。春秋时楚武王的儿子瑕受封于屈（在今湖北秭归一带），其后代以屈为姓。历代屈姓名人有：战国时楚国三闾大夫、诗人屈原，北魏名臣屈遵、屈恒父子，清初名士屈大均，清代画家屈培基，当代有曾任国民党革命委员会主席的屈武等。

项姓源自姬姓。西周初封本姓宗族于项（今河南项城），春秋时被楚国所灭，其后代以项为姓。又一说是楚公子燕封于项城，后代姓项氏。历代项姓名人有：春秋时孔子认作老师的神童项橐，战国时楚国大将项燕，秦朝末年楚霸王项羽及其族人项伯、项庄，唐朝诗人项斯，明代女诗人项兰贞等。

祝姓源自黄帝有熊氏。周武王封黄帝后裔于祝（今山东临沂一带），其后代以祝为姓。一说上古时负责祭祀的官员名为祝史，其子孙有人以祝为姓。历代祝姓名人有：春秋时卫国佞臣祝鲍（或作佗），东汉时有太守祝良，东晋时才女祝英台（后成为家喻户晓的戏曲人物），唐代刺史祝钦明，明代书法家祝允明，清代内阁中书祝维诰等。

董姓有两个源头。一是源自黄帝的支系己姓。己姓后裔有名叫飂叔安者，其子董父为帝舜养龙，称豢龙氏，封于鬷川（今山东定陶一带），其后代以董为姓。《太平寰宇记》则说豢龙氏的封地在许州临颖。二是源自夏朝姒姓。张澍《姓氏寻源》说周朝大夫辛有的儿子到晋国为史官，封于董邑（在今山西），其后代以董为姓。历代董姓名人有：春秋时晋国史官董狐，西汉名臣董仲舒，东汉初"强项令"董宣，东汉末年军阀董卓，三国时蜀汉名臣董允，金国诸宫调戏曲作家董解元，明代画家董其昌，明末清初名妓、冒襄之妾董小宛，当代有无产阶级革命家、曾任中华人民共和国代主席的董必武，解放军战斗英雄董存瑞等。董姓在当代百家大姓中排第三十九位。

梁姓有两个源头。一是源自秦国嬴姓。秦国始祖非子的曾孙秦仲及其五子讨伐西戎有功，其中少子被封在夏阳梁山（今陕西韩城），建立梁国，为梁康伯，春秋时为秦所灭，其后代以梁为姓。二是源自姬姓。周平王之子唐受封于南梁（今河南汝州一带），其后代以梁为姓。历代梁姓名人有：东汉大将梁冀、贤士梁鸿、书法家梁鹄，唐代诗人梁肃，明代戏曲作家梁辰鱼，清代文学家梁章钜、梁廷楠，清末改良派代表人物梁启超，现当代建筑学家梁思成、作家梁斌等。梁姓在当代百家大姓中排第二十位。

杜 阮 蓝 闵　席 季 麻 强

杜姓源自黄帝的支系祁姓，与刘姓同祖。帝尧裔孙刘累因善于养龙而称为御龙氏，西周成王时将刘累后裔迁于杜（今陕西长安），称杜伯。周宣王时杜伯受诬陷被杀，其子孙逃散，留居杜城者以杜为姓。历代杜姓名人有：东汉奇女子杜兰香，西晋名将杜预，隋末起义军首领杜伏威，唐初宰相杜如晦，唐代诗人杜审言、杜甫、杜牧、杜荀鹤和史学家杜佑，北宋初赵匡胤之母杜太后，明代画家杜琼，当代历史学家杜国庠等。杜姓在当代百家大姓中排第四十七位。

阮姓源自舜时名臣皋陶。皋陶的后裔被封于阮（今甘肃泾川一带），殷商末年被周所灭，其后代以阮为姓。历代阮姓名人有：魏晋时"建安七子"之一的阮瑀，西晋时名列"竹林七贤"的阮籍、阮咸，南朝梁时学者阮孝绪，阮籍的后裔、明代抗倭有功的巡抚阮鹗，阮鹗的孙子、明末奸臣阮大铖，清代大学士阮元等。

蓝姓源自嬴姓。战国时梁惠王封秦子向于蓝（今陕西蓝田），其后代以蓝为姓。一说源自芈姓。楚公子亹封于蓝，谓之蓝尹，其后代以蓝为姓。历代蓝姓名人有：唐末名士、名列"八仙"之一的蓝采和，明初开国功臣蓝玉，明末画家蓝瑛，清代康熙时水师提督蓝廷珍等。

闵姓源自姬姓。鲁闵公的后代有人以闵为姓。历代闵姓名人有：孔子弟子闵子骞，明代刑部尚书闵珪，清代刻书家、五色版"闵本"的创造者闵齐伋等。

席姓源自姬姓，系出籍氏，与谈姓同祖。晋大夫籍谈的后代避项籍名讳，改姓席氏或谈氏。历代席姓名人有：北朝西魏大将军席固，唐代礼部尚书、诗人席豫，明嘉靖时武英殿大学士席书，清代画家席煜，清代刻书家、扫叶山房主人席鉴等。

季姓源自姬姓。鲁桓公之子季友的后代称季氏。一说源自芈姓。楚国贵族季连的后代以季为姓。历代季姓名人有：秦汉之际项羽部将季布，明代经学家季本，清代道光时闽浙总督季芝昌等。

麻姓源自熊姓。春秋时楚国公族熊婴奔齐，更姓麻氏，其后代以麻为姓。历代麻姓名人有：隋朝开挖运河总督麻叔谋，金国经学家麻九畴，元代诗人麻革，明代嘉靖至万历时祖孙三代为将军的麻禄、麻锦、麻贵、麻承恩、麻承诏等。

强姓源自春秋时郑国大夫强锄，其后代以强为姓。历代强姓名人有：唐代大理少卿强循，北宋礼部尚书强渊明，明代成化、弘治时名臣强珍，清代书法家、名医强行健等。

贾 路 娄 危　江 童 颜 郭

贾姓源自姬姓。周康王将唐叔虞的小儿子公明封于贾（今山西襄汾），称为贾伯，后来被晋武公所灭，贾伯后裔逃亡，其后代以贾为姓。晋襄公又把贾邑封给狐偃之子狐射姑，狐射姑字季他，又称贾他，其后代也以贾为姓。历代贾姓名人有：西汉初文学家贾谊，东汉初刘秀的名将贾复，西晋权臣贾充，晋惠帝皇后贾南风，北魏农学家、《齐民要术》作者贾思勰，唐代诗人贾岛，南宋宰相贾似道，元朝名臣、治理黄河有功的贾鲁，元末明初戏曲家贾仲明。贾姓在当代百家大姓中排第六十九位。

路姓源自高辛氏。高辛氏之孙玄元因功被尧封为路中侯，其后代以路为姓。又春秋时有潞国，后被晋国所灭，其后代也以路为姓。历代路姓名人有：西汉大将军路博德，唐代名臣路群、路岩父子，北宋开封知府路昌衡，明末崇祯朝臣路振飞等。

娄姓源自夏朝的姒姓。周武王灭商之后，把大禹后裔东楼公封于杞（今河南杞县），春秋时又迁往今山东诸城一带的娄邑，其后代以娄或楼为姓。历代娄姓名人有：西汉初名臣娄敬，北齐高欢妻娄后、大将娄昭，唐代宰相娄师德，明代宁王朱宸濠的妃子娄妃，明代学者娄枢等。

危姓源自夏禹时的三苗部族。舜的儿子丹朱联合三苗部族与禹大战，三苗战败后逃往三危山，其后代有人以危为姓，后赐姓元氏。历代危姓名人有：唐末聚众对抗起义军、后到南方吴越国做官的危仔昌，南宋时名臣危积、危和兄弟，明初名臣、学者危素，清代名士、被称为"程山六君子"之一的危龙光等。

江姓源自颛顼帝后裔伯益。西周初年，伯益后裔江元仲受封为江国（在今河南正阳），春秋时被楚国所灭，其后代以江为姓。历代江姓名人有：东汉孝子江革，南朝文学家江淹、江总，唐玄宗宠妃江采苹，清代经学家江永、文字学家江声，当代中国共产党总书记、国家主席江泽民等。江姓在当代百家大姓中排第五十二位。

童姓源自颛顼之子老童。其后代有人以童为姓。又晋大夫胥童的后代，也有以童为姓的。历代童姓名人有：东汉丹阳太守童恢，北宋末徽宗时太师童贯，明末名将、兼工诗书画的文武全才童朝仪，清代经学家童能灵等。

颜氏有两个源头。一是源自姬姓。鲁公伯禽有庶子被封于颜邑，其后代以颜为姓。二是源自曹姓。周武王封颛顼后裔陆终的后人于邾，邾子挟的五世孙夷父字颜，又称邾颜公，其后人以颜为姓。历代颜姓名人有：春秋时孔子的弟子颜渊，南朝文学家颜延之，北齐学士、《颜氏家训》作者颜之推，唐代经学家颜师古、书法家颜真卿，明代天启年间苏州五义士之一的颜佩韦，清代学者颜元等。

郭姓源自姬姓。周武王封其二叔姬仲于西虢（今陕西宝鸡），称为虢仲，封其三叔姬叔于东虢（今河南荥阳），称为虢叔。周平王东迁后，虢仲还留在当地，称小虢，后被秦国所灭。虢叔后来又被改封在今河南三门峡一带，称为北虢，后来被晋国所灭。由于古代"虢"与"郭"同音，这三处虢国的后裔都以郭为姓。又有一说是郭姓源自任姓。颛顼之子禹阳又称禹虢，其后裔在夏商时为侯爵，有人以郭为姓，如郭支、郭崇等，其后代也多以郭为姓。历代郭姓名人有：西汉游侠郭解，东汉名士郭泰，二十四孝之一的郭巨，东汉末曹操的谋臣郭嘉，东晋文学家、学者郭璞，唐代玄宗时平定安禄山叛乱的大将军、汾阳王郭子仪，五代后周的创建者郭威，北宋文学家、画家郭忠恕，《乐府诗集》的编者郭茂倩，元代天文学家郭守敬，元末起义军首领郭子兴，当代文学家、历史学家郭沫若等。郭姓在当代百家大姓中排第十六位。

梅　盛　林　刁　　钟　徐　邱　骆

梅姓源自商代子姓。殷商末年有宗族梅伯因直言进谏被纣王杀害，其后代以梅为姓。历代梅姓名人有：西汉初功臣梅鋗，西汉末年高士梅福，北宋文学家梅尧臣，明代戏曲家梅鼎祚，清代天文历算家梅文鼎、梅文鼐、梅文鼏兄弟三人，诗人梅曾亮，清末京剧艺术家、"同光十三绝"之一的梅巧玲，梅巧玲的孙子、现当代京剧艺术家梅兰芳等。

盛姓源自姬姓。西周贤臣召公奭的后代有人以奭为姓，西汉时避汉元帝刘奭讳而改称姓盛。历代盛姓名人有：西汉词赋家盛览，北宋时仁宗朝名臣盛豫、盛度父子，明代永乐年间御医盛寅，弘治年间名臣盛应期，清代学者盛百二等。

林姓源自殷商子姓，是王子比干的后裔。比干被纣王杀害，其王妃陈氏有孕，避乱于长林山，生子坚，周武王灭殷后赐坚姓林氏。林姓另一支源自姬姓。郑樵《通志·氏族略》说："林氏，姬姓，周平王庶子林开之后，因以为氏。"历代林姓名人有：隋朝末年在南方建立楚国的林士弘，北宋方士林灵素，文学家、隐士林逋，清代鸦片战争时钦差大臣林则徐，近代小说家、翻译家、学者林纾，现当代有作家林语堂，中国共产党领导人林伯渠，解放军元帅林彪等。林姓在当代百家大姓中排第十七位。

刁姓源自春秋时齐国姜姓。齐国有大夫竖刁，其后代以刁为姓。还有雕、貂二姓，也与刁同源。历代刁姓名人有：东汉尚书刁韪，西晋尚书左仆射刁协及其子刁彝，其孙刁逵、刁畅，刁畅之子刁雍，刁雍之子刁遵，刁雍之孙刁整、刁双，北宋初史学家、参与修纂《册府元龟》的刁衎，明末清初学者刁包等。

钟姓源自宋国子姓。宋桓公之子公子敖在晋国任职，敖之孙伯宗被郤氏害死，其子伯州犁奔楚任太宰，并以钟离为封邑，其后代姓钟氏或钟离氏。历代钟姓名人有：春秋时楚国大夫钟建，善于听辨琴音的有钟子期，三国曹魏名臣、书法家钟繇，南朝齐梁之际文学理论家钟嵘，唐代钟繇后裔、封越国公、书法家钟绍京，南宋初起义军首领钟相，元代戏曲评论家、《录鬼簿》作者钟嗣成，明代文学家钟惺等。钟姓在当代百家大姓中排第五十四位。

徐姓源自嬴姓。颛顼后裔伯益佐大禹治水有功，被舜赐为嬴姓，其少子若木被封于徐（今徐州一带），夏、商、西周时皆为诸侯国，春秋时为吴国所灭，其后代以徐为姓。历代徐姓名人有：秦朝方士徐福，东汉末年文学家、"建安七子"之一的徐干，三国时孙吴大将徐盛，南朝文学家徐陵，唐初名臣徐勣，明代文学家、书画家徐渭，地理学家、旅游家徐霞客，大学士徐阶，明末大学士、科学家徐光启，清代名臣、文学家徐乾学，近代革命党人徐锡麟，北洋军阀徐世昌，现当代有文学家徐志摩，画家徐悲鸿，中国共产党元老徐特立、解放军元帅徐向前、大将徐海东等。徐姓在当代百家大姓中排第十一位。

邱姓源自齐国姜姓。姜太公的后裔中有被封于营丘者，因地名带有"丘"字，其后代以丘为姓。清雍正三年（1725 年）朝廷下诏让当代人姓名避孔丘之讳，于是丘姓者将"丘"字加偏旁为"邱"，其后丘、邱混用，其实为一个姓。历代丘（邱）姓名人有：南朝梁散文家丘迟，元代全真教祖丘处机，明代大学士、戏曲作家丘浚，清初戏曲作家丘园，清代弹词女作家丘心如，近代诗人丘逢甲，当代中国人民志愿军英雄邱少云，中国第一位乒乓球女子单打世界冠军邱钟慧等。邱姓在当代百家大姓中排第六十五位。

骆姓源自齐国姜姓。姜太公后裔有公子骆，其子孙以骆为姓。历代骆姓名人有：南朝陈朝将军骆牙，唐代诗人骆宾王，明末崇祯时左都督骆养性，清代后期消灭太平天国石达开西征军的四川总督骆秉章，现当代评书艺术家骆玉笙等。

高 夏 蔡 田　樊 胡 凌 霍

高姓源自齐国姜姓。齐文公的儿子名高，时称公子高，他的孙子在齐桓公时辅政，名高傒，其后代以高为姓。一说齐桓公的后代有公子祁，字子高，其后代也有人以高为姓。历代高姓名人有：孔子弟子高柴，战国末年燕国善击筑者高渐离，唐代诗人高适、太监高力士，北宋大将军高怀德，北宋末年太尉高俅，元代戏曲家高文秀、高则诚，明初诗人高启，明代隆庆时大学士高拱，明末农民起义军领袖高迎祥，清代小说作家、续作《红楼梦》的高鹗，现当代科普作家高士其，香港历史小说作家高阳等。高姓在当代百家大姓中排第十九位。

夏姓源自夏朝姒姓。夏朝的后裔有一部分以夏为姓。一说源自陈国妫姓。春秋时陈国宗族子西，字子夏，其孙子夏征舒即以其祖父之字为姓，他的后代也皆姓夏。历代夏姓名人有：战国末期秦国御医夏无且，明代大学士夏言，明末诗人夏完淳，清代小说家《野叟曝言》的作者夏敬渠，近代诗人夏曾佑，现代无产阶级革命烈士夏明翰等。夏姓在当代百家大姓中排第六十五位。

蔡姓源自姬姓。西周初周武王封其叔父叔度于蔡，建立蔡国，蔡国灭亡后，其后代以蔡为姓。又一说是源自姞姓。黄帝直系后裔在夏商时期受封于古蔡国（今郑州东郊祭城），其后代也有人以蔡为姓。历代蔡姓名人有：春秋时晋国太史蔡墨，秦国相国蔡泽，东汉发明造纸技术的蔡伦，东汉末文学家、书法家蔡邕及女儿诗人蔡琰，北宋书法家蔡襄、太师蔡京，明末山西巡抚蔡懋德，近代讨伐袁世凯的革命将领蔡锷，历史演义小说作家蔡东藩，现当代教育家蔡元培，共产党早期领导人蔡和森，著名民主党派人士蔡廷锴等。蔡姓在当代百家大姓中排第三十四位。

田姓源自陈姓。春秋时陈国陈公子完因内乱出奔齐国，名田完，数代后田氏强大，取代了齐国国君，田齐后代即以田为姓。历代田姓名人有：战国时齐国将军田忌，设火牛阵破燕兵的田单，战国末年逃往海岛的田横，西汉丞相田蚡，东汉末年袁绍的谋士田丰，唐朝末年大将军田令孜，明代文学家田汝成、田艺蘅父子，清代河南巡抚田文镜，现当代戏剧家田汉等。田姓在当代百家大姓中排第四十六位。

樊姓源自姬姓。周文王后裔仲山甫在周宣王时因功封于樊（今河南济源），其后代以樊为姓。历代樊姓名人有：春秋时楚庄王夫人樊姬，孔子弟子樊迟，战国末年秦国名将樊於期，秦汉之际刘邦的大将樊哙，隋代大将军樊叔略，唐代散文家樊宗师，清代画家樊圻，近代诗人樊增祥等。

胡姓源自陈国始祖陈胡公，其后代或以陈为姓，或以胡为姓。又有一说是周武王封姬姓宗族于胡，史称胡子国（在今河南郾城），春秋时先后被郑、楚所灭，其后代以胡为姓。还有一说是源自归姓。尧时有归夷族，商代建立胡国，后被周武王所灭，春秋时其族人迁居于今安徽阜阳一带，亦称胡子国，其后代也以胡为姓。历代胡姓名人有：东汉权臣胡广，晋代大将军胡奋，北魏孝明帝母胡太后，唐代诗人胡曾，明初开国功臣胡大海、宰相胡惟庸，明代嘉靖年间抗倭寇有功的总兵胡宗宪，明代文学家、学者胡应麟，清后期湖北巡抚胡林翼，现当代学者胡适，国民党将领胡宗南，当代中国共产党总书记、国家主席胡锦涛等。胡姓在当代百家大姓中排第十五位。

凌姓源自姬姓。春秋时卫康叔的后裔有在周朝仕为"凌人"之职者（掌管冰块冷藏），其后代以凌为姓。历代凌姓名人有：三国孙吴大将凌统，明末话本小说家、戏曲作家凌濛初，清代学者凌廷堪等。

霍姓源自姬姓。周武王封其弟叔处于霍，史称霍叔处，春秋时霍邑被晋国所灭，其后代以霍为姓。历代霍姓名人有：西汉大将军霍去病、霍光，霍光的女儿、汉宣帝的霍皇后，唐代名妓霍小玉，明代礼部尚书霍韬，清初监察御史霍达，现当代武林名人霍元甲等。

虞　万　支　柯　昝　管　卢　莫

虞姓源自妫姓。大禹把舜的儿子商均封于虞（今河南虞城），号有虞氏，虞国灭亡后其后代以虞为姓。又一说是源自姬姓。西周初武王把舜的后裔改封于陈，另外把二伯仲雍的后代封于虞，其后代也以虞为姓。历代虞姓名人有：战国时游说之士、《虞氏春秋》的作者虞卿，秦汉之际楚霸王项羽的爱妾虞姬，东汉名臣虞诩，三国孙吴名臣虞翻，唐初名臣、书法家虞世南，元代文学家虞集，清代文士、"西泠十子"之一的虞黄昊等。

万姓源自姬姓。周武王之弟毕公高的后裔毕万的后代建立魏国，其后代或姓魏，或姓毕，或姓万，三姓同源。又有一说是周代芮国芮伯万的后代也有以万为姓者。历代万姓名人有：春秋时孟子的弟子万章，北魏大将军万安国，隋代乐师万宝常，明代成化年间大学士万安，明宪宗宠妃万贵妃，清代戏曲作家万树和文学家、史学家万斯同等。万姓在当代百家大姓中排第八十八位。

支姓源自尧时支父，其后代以支为姓。又有一说是源自秦汉时西域月支国，其国有人来内地留居并汉化，以支为姓。如月支国的优婆塞，献帝末年避乱于吴，名叫支谦，被孙权拜为博士，翻译经文。历代支姓名人有：唐初孝子支叔才，明代礼部主事支可大、画家支鉴，清初学者支隆求等。

柯姓源自姬姓。周文王兄泰伯是吴国的创建者，后来吴国有吴王柯卢，其后代以柯为姓。又有一说是郑、卫之地名有带"柯"字者，其后代有人以柯为姓。历代柯姓名人有：北宋朝散大夫柯述，明代学者柯潜及其曾孙柯维骐，清代康熙时内阁中书柯崇朴及其弟诗人柯维桢等。

昝姓源自商代宰相咎单。其后代以咎为姓，称咎氏，后来把"咎"字增一画为"昝"，以此为姓。历代昝姓名人有：唐代学者昝商，五代时仕于后唐、后晋、后汉、后周又入北宋官太尉的昝居润，明代名士昝如心、孝子昝学易等。

管姓源自姬姓。周文王之子叔鲜被封于管（今河南郑州），史称管叔鲜，其后代以管为姓。历代管姓名人有：春秋时齐国宰相管仲，东汉末至三国时名士管宁、术士管辂，元代赵孟頫夫人、女画家管道升，清代乾隆时御史、学者管世铭等。

卢姓源自姜姓。春秋时齐文公子子高之孙，食采于卢（今山东长清），其后代以卢为姓。历代卢姓名人有：西汉初将军卢绾，东汉末年中郎将卢植，东晋中郎将卢循，北周大将军卢辩，唐代诗人卢照邻、卢纶、卢仝，元代文学家卢挚，明末督师卢象升，清代翰林学士卢文弨，现当代国民党起义将领卢汉等。卢姓在当代百家大姓中排第五十五位。

莫姓源自颛顼高阳氏。颛顼曾造鄚城，此地后人以城名为姓，后去掉邑偏旁为"莫"。又有一说是春秋时楚国有莫敖之官，其后代以莫为姓。历代莫姓名人有：北魏大将莫题，唐代融州刺史莫休符，南宋时莫琮及其五子莫元忠、莫若晦、莫似之、莫若拙、莫若冲（父子六人俱登科入仕），明代嘉靖时浙江布政使莫如忠及其子书画家莫是龙，清代乾隆时内阁学士莫晋，清末学者莫友芝等。

经 房 裘 缪　干 解 应 宗

经姓源自郑姓。春秋时郑国公族京叔段的后裔，至汉代有太守京房被政敌害死，其后代避祸而改"京"为"经"。历代经姓名人有：明代高士经承辅，清末光绪年间慈善家经元善等。

房姓源自陶唐氏。舜封尧之子丹朱于房陵，建立古房国（在今河南遂平），其后代以房为姓。历代房姓名人有：西汉名臣房凤，东汉名臣房植，唐初宰相房玄龄，唐玄宗时名臣房琯，明末曾官御史、入清后又官御史的房可壮等。

裘姓源自姬姓。春秋时卫国之君是周朝宗室，卫国公族有被封于裘邑（在今河南省与河北省交界一带）者，其后代以裘为姓。历代裘姓名人有：南宋孝宗时名臣裘万顷，清代文学家裘琏，清乾隆时曾任礼、刑、工三部尚书的裘曰修及其子直隶总督裘行简等。

缪姓源自嬴姓。秦穆公的"穆"字古时与"缪"通，秦穆公的后代中有人以缪为姓。历代缪姓名人有：西汉经学博士缪生，明代天启年间东林名臣缪昌期，清代诗人、书画家缪谟和画家缪炳泰，清末学者缪荃孙等。

干姓源自宋国子姓。春秋时宋国大夫干犫的后代，以干为姓。历代干姓名人有：春秋时铸剑名师干将，东晋文学家、《搜神记》作者干宝，元代礼部尚书干文传，明代都御史干桂等。

解姓源自姬姓。晋国开国之君唐叔虞的儿子良食采于解（今山西解州），其后代以解为姓。历代解姓名人有：春秋时晋国名臣解狐，西晋时名臣解修及其子尚书解系，北宋上将军解晖，明代永乐时翰林学士解缙，明末刑部尚书解学龙等。

应姓源自姬姓。周武王第四子封于应（今河南平顶山），称应侯，其后代以应为姓。历代应姓名人有：东汉学者应劭，东汉末"建安七子"之一的应场及其弟侍中应璩，清代学者应㧑谦，当代围棋名家、"应氏杯"围棋比赛规则的制定者和比赛主办者应昌期等。

宗姓源自姬姓。周朝公族有大夫宗伯，掌管宗室之事，其后代以宗为姓。一说是春秋偃姓的宗子封于宗国（今安徽舒城一带），其后代也以宗为姓。历代宗姓名人有：东汉名士宗慈，南朝名士宗炳及其子大将军宗悫，唐代宰相、李白的岳父宗楚客，北宋抗金名臣宗泽，明代文学家宗臣，当代作家宗璞、美学理论家宗白华等。

丁 宣 贲 邓 郁 单 杭 洪

丁姓源自姜姓。姜太公之子伋死后谥为丁公，其后代以丁为姓。另外，西周初年周武王所灭的小国中有丁国，其后代也以丁为姓。历代丁姓名人有：秦汉之际项羽部将丁公，东汉孝子、"二十四孝"之一的丁兰，东汉末年并州刺史丁原，三国曹魏时名士丁仪、丁廙兄弟，三国孙吴大将军丁奉，北宋时宰相丁谓，清初文学家丁耀亢，清后期水军提督丁汝昌、江苏巡抚丁日昌，现当代女作家丁玲等。丁姓在当代百家大姓中排第四十八位。

宣姓源自姬姓。周宣王的后代及鲁国大夫宣伯的后代，有人以宣为姓。另外，春秋时宋宣公的后代也有以宣为姓者。历代宣姓名人有：东汉御史中丞宣秉，北宋画家宣亨，明永乐年间内阁中书舍人宣嗣宗，清代小说家宣鼎等。

贲姓源自春秋时鲁国贲父，其后代以贲为姓。一说出自苗氏，即苗姓始祖、晋国大夫苗贲皇的后代也有以贲为姓者。历代贲姓名人有：西汉初将军贲赫，元代宣武将军贲亨等。

邓姓有两个源头。一是商朝武丁封其叔曼季于邓（今河南邓州），春秋时被楚国所灭，其后代以邓为姓。二是源自姒姓。夏朝仲康封其族人于邓（今河南孟州一带），其后代以邓为姓。历代邓姓名人有：春秋时思想家邓析，西汉名臣邓通，东汉初大将军邓禹，三国曹魏大将军邓艾，明代农民起义首领邓茂七，清代书法家、篆刻家邓石如，清末甲午海战中水军管带邓世昌，现当代无产阶级革命家邓恩铭、邓中夏，当代共产党第二代领导人、中央军委主席邓小平等。邓姓在当代百家大姓中排第二十九位。

郁姓源自古郁国，后为吴国大夫的采邑，其后代以郁为姓。又一说是春秋时鲁国宰相郁黄的后代以郁为姓。历代郁姓名人有：宋代名医郁继善，明初户部尚书郁新，清代藏书刻书家郁松年，现当代作家郁达夫、女画家郁风等。

单姓源自姬姓。周成王封其少子臻于单（今河南济源西南），史称单伯，其后代以单为姓。历代单姓名人有：东汉车骑将军单超，隋末起义军李密的大将单雄信，明代戏曲作家单本，清末文渊阁大学士单懋谦等。

杭姓源自大禹。大禹治水时，委派其宗族掌管舟航，并且把他封在余航。其后代就把"航"字去舟旁加木旁为杭氏。历代杭姓名人有：东汉中郎将杭徐，明代诗人杭济、杭淮兄弟，清初陕西巡抚杭爱，清代文学家杭世骏等。

洪姓源自炎帝后裔共工氏，其后代因避仇害而将"共"字加水旁为洪。又一说是春秋时卫国大夫弘演的后代，本姓弘，至唐初避唐高宗之子李弘之讳而改为洪。历代洪姓名人有：南宋名臣洪皓及其子洪适、洪遵、洪迈父子四人，明代左都御史洪钟，明末投降清朝的名臣洪承畴，清代戏曲作家洪升、学者洪亮吉，清代后期太平天国革命领导人洪秀全，现当代作家洪深等。

包 诸 左 石　崔 吉 钮 龚

包姓源自芈姓。春秋时楚国宗族、大夫申包胥的后代，以包为姓。又一说是源自鲍姓，丹阳鲍氏因西汉末年避王莽之乱而改姓包。历代包姓名人有：东汉经学家包咸，北宋龙图阁直学士、著名清官包拯，清代书法家、学者包世臣，现代国民党起义将领包尔汉等。

诸姓源自姬姓。春秋时鲁国宗族大夫被封在诸邑（今山东诸城），其后代以诸为姓。又一说是源自姒姓，即越国大夫诸稽郢的后代以诸为姓。历代诸姓名人有：明初孝女诸娥，明万历时礼部主事诸寿贤，清代学者诸锦、画家诸升等。

左姓源自春秋时史官。周王室及各诸侯国都有史官，称为左史记言，其后代以左为姓。历代左姓名人有：春秋时燕国名士左伯桃，东汉尚书令左雄，东汉末方士左慈，西晋文学家左思及其妹左芬，明末东林党名臣左光斗、大将左良玉，清末大学士左宗棠，现代抗日战争时期八路军参谋长左权等。

石姓源自姬姓。春秋时卫国公族大夫石碏的后代以石为姓。一说源自宋国子姓。宋国有公子段，字子石，其后代以石为姓。历代石姓名人有：西汉名臣石奋、石建父子，十六国后赵的创建者石勒，五代时后晋的创建者石敬瑭，北宋初大将石守信、文学家石延年，明代大将军石亨，清后期太平天国将领石达开等。石姓在当代百家大姓中排第七十二位。

崔姓源自姜姓。姜太公的孙子季子把王位让给弟弟叔乙，自己以崔为封邑（在今山东章丘西北），其后代便以崔为姓。历代崔姓名人有：春秋时齐国大夫崔杼，东汉文学家崔骃、书法家崔瑗、政论家崔寔，北魏名臣崔浩，唐代诗人崔颢、崔护，唐代才女、后来成为戏曲作品《西厢记》主角的崔莺莺，北宋画家崔白，明代理学家崔铣、画家崔子忠，清代学者崔述等。崔姓在当代百家大姓中排第五十八位。

吉姓有两个源头。一是源自姞姓。黄帝裔孙伯儵赐姓姞，封于南燕（今河南延津），其后代将"姞"字去偏旁为吉姓。二是源自姬姓。西周末宣王名臣尹吉甫的后代中有一部分人以吉为姓。历代吉姓名人有：东汉太医令吉本，南朝梁时冒死救父的少年吉翂，唐代玄宗时酷吏、被称为"罗钳吉网"的吉温，清代学者吉梦熊，现代抗日英雄吉鸿昌等。

钮姓源自春秋时吴国巧匠钮宣义。其先祖是从事钮柄制作的百工之长，后代便以钮为姓。历代钮姓名人有：明末清初戏曲声律学家钮少雅，清代文学家钮琇、学者钮树玉、画家钮枢等。

龚姓源自共工氏。其后代一部分改为姓洪，一部分改为姓龚。历代龚姓名人有：西汉渤海太守龚遂，北宋画家龚开，清初文学家龚鼎孳，近代思想家、文学家龚自珍等。龚姓在当代百家大姓中排第一百位。

程 嵇 邢 滑　裴 陆 荣 翁

程姓源自颛顼帝的孙子重和黎。重、黎的后裔在西周时被封在程邑（今河南洛阳东），史称程伯，其后代以程为姓。又一说源自姬姓。周文王少子荀侯的后裔、晋大夫荀欢食采于程，其后代也以程为姓。历代程姓名人有：春秋时晋国营救赵氏孤儿的程婴，西汉大将程不识，东汉末年曹操的谋士程昱、孙吴大将程普，唐初名将程咬金，北宋理学家程颐、程颢兄弟，明代弘治时官至礼部侍郎的学者程敏政，清代抄校《红楼梦》并使它成书的程伟元，近代京剧艺术家程长庚，现当代国民党起义将领程潜，京剧艺术家程砚秋等。程姓在当代百家大姓中排第三十三位。

嵇姓源自姒姓。夏朝少康封其子于会稽，史称会稽氏，其后代改"稽"为姓嵇。历代嵇姓名人有：三国曹魏时文学家、"竹林七贤"之一的嵇康，嵇康之子侍中嵇绍，北宋翰林学士嵇颖，清初文士、戏曲作家嵇永仁，嵇永仁之子、大学士嵇曾筠，嵇曾筠之子、大学士嵇璜等。

邢姓源自姬姓。周公旦的第四子被封于邢（今河北邢台一带），春秋时被卫国所灭，其后代以邢为姓。历代邢姓名人有：北齐名臣邢邵，北宋翰林侍讲学士邢昺，唐代尚书右仆射邢君牙，南宋高宗的邢皇后，明代书法家邢侗，清代金石学家邢澍等。

滑姓源自姬姓。西周初封同姓宗族于滑邑（在今河南偃师），史称滑伯，其后代以滑为姓。历代滑姓者名人很罕见，今知有明代良医滑寿等。

裴姓源自嬴姓。秦国始祖非子的孙子被封于𨛭（今山西闻喜），其后代把"𨛭"字去掉下面的"邑"而加"衣"，成为裴姓。历代裴姓名人有：东汉末官郡守尚书的裴茂，裴茂之子、三国曹魏时尚书令裴潜，南朝宋时史学家裴松之、裴骃父子，唐初宰相、书法家裴行俭及其子吏部尚书裴光庭，唐中期宰相裴度，明代中期御史裴斐，清初监察御史裴希度等。

陆姓有三个源头。一是颛顼的后裔吴回之子陆终氏，其后代有一支迁到今山西平陆，有一支迁到今山东陵县，他们的后代都以陆为姓。二是源自妫姓。战国时期齐宣王之子田通被封于陆乡（今山东陵县），其后代以陆为姓。三是源于允姓。春秋时从甘肃迁到河南陆浑的一支西戎人，其后代以陆为姓。历代陆姓名人有：西汉初名臣、辞赋家陆贾，三国孙吴都督陆逊，西晋文学家陆机、陆云兄弟，唐代宰相陆贽、茶圣陆羽、诗人陆龟蒙，南宋诗人陆游，南宋末抗元英雄陆秀夫，明代文学家陆粲、陆采兄弟，清初并称为"二陆"的学者陆世仪、陆陇其,清代文学家陆次云、陆继辂等。陆姓在当代百家大姓中排第六十位。

荣姓有两个源头。一是黄帝之臣荣将因铸造十二口编钟,得以奏《咸池》之乐,受封为诸侯,建立荣国,其后代以荣为姓。二是周文王之臣荣公封于荣,其后代以荣为姓。历代荣姓名人有:春秋时孔子的弟子荣旂,鲁国名士荣启期,西汉经学家荣广,清代道士、画家兼诗人荣涟,当代中华人民共和国副主席荣毅仁等。

翁姓源自姬姓。周昭王庶子被封于翁山,其后代以翁为姓。历代翁姓名人有:南宋诗人翁卷,清代文学家、书法家翁方纲,清末大臣翁同龢等。

荀 羊 於 惠　甄 麹 家 封

荀姓源自姬姓。周文王的儿子郇伯受封于郇,其后代将"郇"字去掉邑偏旁加草头成为荀姓。历代荀姓名人有:战国时思想家、文学家荀况,东汉高士荀淑、荀靖父子,东汉末年曹操的谋士荀彧,荀彧的玄孙、西晋初官至尚书仆射的荀崧,荀崧的小女儿、英雄少女荀灌娘,南朝梁时南兖州刺史荀朗等。

羊姓源自祁氏。春秋时晋国靖侯之子伯侨的孙子突,晋献公时被封为羊舌大夫,其后代为羊舌氏,其中一部分人去"舌"字单姓羊氏。历代羊姓名人有:东汉太尉羊续,西晋将军羊祜及其从弟羊琇,羊琇从子尚书郎羊玄之,南朝梁时名将羊鸦仁,唐代监察御史羊士谔等。

於姓源自黄帝有熊氏。黄帝后裔则被封在於(今河南内乡),史称於则,其后代以於为姓。历代於姓名人有:南宋画家於清言,於清言之子、元代画家於务道,明代嘉靖时巡抚都御史於敖、陕西按察副使於惟一等。

惠姓源自姬姓。春秋时周惠王的后代中有人以惠为姓。历代惠姓名人有：战国时魏国相、庄子的朋友惠施，西汉学者惠庄，清代经学家惠周惕及其子惠士奇、士奇之子惠栋等。

甄姓源自舜时皋陶少子仲甄，其后代以甄为姓。历代甄姓名人有：三国时魏文帝曹丕的皇后甄氏，北周数学家甄鸾，唐代名医甄权及其弟甄立言，唐肃宗时御史甄济，明永乐时御史甄庸等。

麹姓源自周官麹氏，其后代以麹为姓。另一说是汉代有名鞠谭生者避难于"温中"（今河南西平），改姓麹。历代麹姓名人有：西晋将军麹允，北齐术士麹绍，唐代著名县令、白居易为之作《秦中吟》诗的麹信陵，明代有名士麹祥等。

家姓源自姬姓。周幽王时公族大夫、《诗经·小雅·节南山》一诗作者家父，其后代以家为姓。又春秋时鲁庄公的孙子名驹字子家，其后代也以家为姓。历代家姓名人有：北宋名士家安国、家定国兄弟，苏轼的好友家退翁，南宋末文士家铉翁等。

封姓源自姜姓。炎帝裔孙钜是黄帝的老师，其后裔在夏代被封在封父（今河南封丘），其后代以封为姓。历代封姓名人有：三国魏时高士封衡，十六国时南燕名臣封孚，封孚之弟、北魏黄门侍郎封懿，封懿之子封玄之，玄之族孙北魏光禄大夫封回，封回之子、北齐尚书仆射封隆之，唐初尚书右仆射封德彝，唐中期范阳节度副使封常清，清代名士封浚等。

芮 羿 储 靳　汲 邴 糜 松

芮姓源自姬姓。周武王封其宗族于芮（在今陕西大荔），史称芮伯，其后代以芮为姓。历代芮姓名人有：周厉王时卿士芮良夫，三国孙吴名臣芮祉及其子芮良、芮玄，南宋初名臣芮煜，明代正统时右副都御史芮钊等。

羿姓源自有穷氏，即传说"羿射九日"的后羿，其后代以羿为姓。羿姓名人较罕见，今知明代有羿忠等。

储姓源自姜姓。春秋时齐国大夫储子的后代，以储为姓。历代储姓名人有：唐代诗人储光羲，明代英宗时户部尚书储懋，清代学者储欣及其子康熙时进士储在文、储雄文等。

靳姓源自芈姓。战国时楚国公族大夫靳尚的后代，以靳为姓。历代靳姓名人有：西汉骑都尉靳歙，北宋画家靳东发、靳永父子，明代武英殿大学士靳贵、吏部右侍郎靳学颜，靳学颜之弟、山东按察副使靳学曾，清代河道总督靳辅等。

汲姓源自姬姓。春秋时卫宣公太子居于汲（今河南卫辉），其后代以汲为姓。又一说是源自姜姓。战国时齐宣公的儿子封于汲，其后代也以汲为姓。历代汲姓名人有：西汉武帝时东海太守、淮阳太守汲黯，北魏名士汲固等。

邴姓源自姜姓。春秋时齐国公族大夫邴歜封于邴（今山东费县），其后代以邴为姓。又一说是源自姬姓。春秋时晋国大夫邴豫食采于邴，其后代以邴为姓。两处邴姓都常见将"邴"字去邑旁为丙，丙、邴实为一姓。历代邴姓名人有：西汉宰相丙吉及其子太仆丙显，东汉末年名士邴原，十六国时后赵将军邴辅，唐初功臣邴粲等。

糜姓源自芈姓。春秋时楚国大夫受封于南郡糜亭，其后代以糜为姓。历代糜姓名人有：东汉末刘备的糜夫人及糜夫人之兄糜竺、糜芳，南宋初名臣糜锜，糜锜之子糜师旦，糜师旦之子糜溧，糜溧之子糜伯升等。

松姓本源未详。传说秦始皇东巡泰山时，曾在松树下避雨，就封松树为"五大夫"，于是后人借此事而以松为姓。历代松姓者名人较少，今知隋代有名士松赟，明代有名士松冕等。

井 段 富 巫 乌 焦 巴 弓

井姓源自姬姓。周朝有大夫井利，其后代以井为姓。又一说是源自姜姓。姜太公的后裔有井伯，其后代以井为姓。历代井姓名人有：

东汉高士井丹，明永乐时大理评事井田及其子驸马都尉井源等。

段姓源自姬姓。春秋时郑庄公之弟公叔段的后代，有人以段为姓。又一说是源自复姓段干氏，其后代有人以段为姓，有些以干为姓。历代段姓名人有：西晋时幽州刺史段匹䃅，唐初大将军段志玄，段志玄三世孙、剑南西川节度使段文昌和段文昌之子、学者段成式，元代大理总管段功，清代文字学家段玉裁，现当代北洋军阀执政段祺瑞等。段姓在当代百家大姓中排第八十一位。

富姓源自姬姓。周朝时有大夫富辰，其后代以富为姓。又一说是源自鲁国公族大夫富父，其后代也以富为姓。历代富姓名人有：唐代武则天时左台监察御史、被称为"北京三杰"之一的富嘉谟，北宋宰相富弼及其子祠部员外郎富绍庭，富弼之孙、南宋初知枢密院事的富直柔等。

巫姓源自上古时以巫为职者。如黄帝时有大臣巫彭，善于占卜又通医术，其后代以巫为姓。历代巫姓名人有：商代贤相巫咸、巫贤父子，明代宣宗时辽东总兵官巫凯，明代万历时著名清官巫子肖等。

乌姓源自少昊金天氏。少昊以鸟名官，有乌鸟氏，其后代以乌为姓。历代乌姓名人有：春秋时莒国大夫乌存，战国时秦国勇士乌获，唐肃宗时范阳节度副使乌承恩及其族弟冠军将军乌承玼，乌承玼之子、大将军乌重胤，乌重胤之子、将军乌汉弘，明初学者乌斯道及其子诗人乌熙等。

焦姓源自姜姓。西周初周武王封神农氏的后裔于焦（今河南陕县），春秋时被晋国所灭，其后代以焦为姓。历代焦姓名人有：东汉末年至曹魏时名士焦先，唐代名士、"饮中八仙"之一的焦遂，五代至宋初上将军焦继勋及其子大将军焦守节，明代大学士焦芳、学者焦竑，清代学者焦循、焦廷琥父子，当代模范县委书记焦裕禄等。

巴姓源自古巴国（在今重庆东）。巴国在春秋时为楚附庸国，其后代多以巴为姓。历代巴姓名人有：战国时巴国将军巴蔓子，秦朝时贞妇巴寡妇，东汉名臣巴肃，明代嘉靖时兵科给事中巴思明等。

弓姓源自张姓。张姓始祖张挥发明使用弓箭，其后代多数以张为姓，而有少数以弓为姓。又一说是春秋时鲁国大夫叔弓的后代以弓为姓。历代弓姓者较少，今知有十六国时前秦虎贲中郎将弓蚝等。

牧 隗 山 谷　车 侯 宓 蓬

牧姓源自黄帝时名臣力牧，其后裔以牧为姓。又一说是春秋时卫国大夫封在牧地（今河南新乡），其后代也以牧为姓。历代牧姓者较少，今知有春秋时孔子的弟子牧皮，鲁国名士牧仲，明代弘治年间官南京兵科给事中的牧相等。

隗姓源自炎黄之前的古部落大隗氏，其后裔以隗为姓。历代隗姓名人有：东汉叛臣隗嚣及其子隗纯，西晋术士隗炤等。

山姓源自黄帝的后裔列山氏，其后代以山为姓。又一说是源自周朝掌管山林的职官山师，其后代以山为姓。历代山姓名人有：魏晋之际名士、"竹林七贤"之一的山涛，南朝宋学者山谦之，明代宣德时征蛮将军山云等。

谷姓源自嬴姓。秦国始祖非子曾居于秦谷（今甘肃天水西南），其后代有人以谷为姓。又一说源自姜姓。春秋时齐国公子尾孙被封于夹谷（在今山东），其后代以谷为姓。历代谷姓名人有：西汉名臣谷永，唐朝中期大将军谷崇义及其子、定州刺史谷从政，明朝正德时总督谷大用，清初历史学家谷应泰，当代有国务院副总理谷牧等。

车姓源自黄帝时主管车舆的职官，其后代以车为姓。又西汉丞相田千秋，乘车入朝，人号车丞相，于是就改姓田为姓车，其子即名车顺，后代也皆姓车。历代车姓名人有：三国孙吴会稽太守车浚，车浚曾孙、西晋护军将军车胤（小时候曾囊萤读书），北宋学者车若水，明代戏曲作家车任远，清代学者车腾芳等。

侯姓起源较杂。一是源自黄帝时史官仓颉，即史皇氏，他最初称侯氏，其后代即以侯为姓。二是源自姒姓。大禹后裔有封于侯（今河南偃师）者，后代以侯为姓。三是源自姬姓。郑庄公之弟共叔段死后，庄公赐其子共仲为侯氏，于是后代亦姓侯。另外，春秋时称侯爵者，其后代有人即以侯为姓，如晋哀侯、晋潘侯及楚国公族侯爵之后等。历代侯姓名人有：战国时魏国名士侯嬴，东汉大司徒侯霸，南朝梁时叛臣侯景，隋代滑稽名角侯白，唐初大将侯君集，明末清初文学家侯方域，当代化学家侯德榜、相声大师侯宝林等。侯姓在当代百家大姓中排第七十七位。

宓姓源自伏羲太昊氏。伏羲的"伏"字古代又作"宓"、"虙"等，因此伏羲的后代就有人以宓为姓。历代宓姓者名人较少，今知伏羲的女儿称为宓妃，春秋时有孔子弟子宓不齐（子贱）等。

蓬姓源自姬姓。周成王之子封于蓬州（今山东蓬莱），其后代以蓬为姓。历代蓬姓者名人稀少，今知西晋初年有蓬球，他曾入山遇见神仙。

全 郗 班 仰　秋 仲 伊 宫

全姓源自周代职官"泉府"，即管理财政的官员，其后代以"泉"为姓，又写作"全"。历代全姓名人有：三国时孙吴将军全柔、全琮父子，南朝宋光禄大夫全景文，隋代名医全元起，南宋时宋度宗的全皇后，清代学者全祖望等。

郗姓源自黄帝的支系己姓。周武王封少昊的后裔于绨（今河南沁阳），其后代以绨为姓，因是封邑，也写作郗。这里在春秋时是苏国之地，苏君之子也受封于郗，其后代也以郗为姓。历代郗姓名人有：东汉御史大夫郗虑，郗虑的后裔西晋大将军郗鉴，郗鉴之子刺史郗愔、郗昙，郗愔之子左长史郗超，唐德宗时集贤院学士郗纯及其子尚书郗士美，明代弘治时礼科给事中郗夔等。

班姓源自芈姓。春秋时楚国公族鬬伯比之子初生时弃于云梦泽中，有虎乳之，后寻回，取名鬬穀於菟，字子文。楚人谓虎为於菟，谓乳为穀，故名穀于菟。子文之意，是说虎有班纹，因此鬬穀於菟的后代以斑为姓，又写作班。历代班姓名人有：西汉史学家班彪及其长子固、次子班超、女儿班昭（曹大家），汉成帝宫中班婕妤，唐德宗时尚书班宏，明代孝子班言等。

仰姓源自嬴姓。春秋时秦惠文王之子公子卬的后代，以卬为姓。"卬"即古"仰"字，其子孙把"卬"加偏旁为仰姓。历代仰姓名人有：北宋孝子仰忻，明代永乐时大理寺丞仰瞻等。

秋姓源自姬姓。春秋时鲁国大夫仲孙湫的后代，以湫为姓，后又去水旁为秋。历代秋姓名人有：春秋时鲁国人而仕于陈国、归家途中调戏其妻的秋胡，近代女革命家秋瑾等。

仲姓来源较多。远古至春秋时排行第二者常称为仲某或某仲，如商汤时左相仲虺，周代樊侯仲山甫，春秋时鲁国仲孙氏等，他们的后代多有以仲为姓者。历代仲姓名人有：孔子弟子仲由，东汉末尚书郎仲长统，北宋名臣仲简，清代乾隆时金都御史仲永檀等。

伊姓源自帝尧陶唐氏。尧生于伊祁山，其后代有的姓祁氏，有的姓伊氏。另外，商初贤臣伊尹的后代也有人以伊为姓。历代伊姓名人有：商初伊尹之子伊陟，三国蜀汉名臣伊籍，唐代右卫上将军伊慎，明代嘉靖时御史伊敏生，清代乾隆时刑部郎中伊朝栋等。

宫姓源自姬姓。周朝有掌管宫门的官，其后代以他的官名为姓。又一说是周初被封的小国有郆，后来被晋国所灭，其后代将"郆"字去偏旁为宫姓。还有一说是孔子的弟子有名为南宫适者，其后代姓南宫，也有人以宫为姓。历代宫姓名人有：春秋时虞国大夫宫之奇，元代戏曲家宫天挺，明代永乐时平蛮将军宫聚，清康熙时福建巡抚宫梦仁等。

宁　仇　栾　暴　　甘　钭　厉　戎

宁姓源自姬姓。春秋时卫武公之子季亹食采于宁（今河南获嘉），其后代以"宁"（寧）为姓，也写作"甯"。历代宁姓名人有：春秋时齐桓公的贤臣宁戚，西汉酷吏宁成，元代著名孝子宁猪狗，明代弘治、正德时御史宁杲，清初弘文院大学士宁完我等。

仇姓源自宋国子姓。春秋时宋闵公大夫仇牧的后代，以仇为姓。历代仇姓名人有：东汉名士仇览，唐代宦臣仇士良，明代嘉靖时大同总兵仇鸾、画家仇英，清代康熙时吏部右侍郎、《杜诗详注》的作者仇兆鳌等。

栾姓源自姬姓。西周晋靖侯的孙子宾被封于栾，史称栾宾，其后代以栾为姓。历代栾姓名人有：春秋时晋国有权臣栾成、栾枝、栾书、栾黡、栾针、栾盈，西汉初将军栾布，东汉名臣栾巴，北魏名臣栾文博，北宋太宗至真宗时名臣栾崇吉等。

暴姓源自商代诸侯暴辛公，其后代以暴为姓。历代暴姓名人有：西汉时御史大夫暴胜之，北齐骠骑大将军暴显，明初建文朝臣暴昭等。

甘姓有两个源头。一是源自夏朝古甘国，其后裔有名甘盘者在商王武丁朝为名臣，甘盘的后代以甘为姓。二是春秋时周襄王之弟王子带被封于甘（今洛阳南），他的后代也以甘为姓。历代甘姓名人有：秦朝十二岁为上卿的少年甘罗，东汉名将甘延寿，三国时刘备的甘夫人，吴国将军甘宁，清代康熙时吏部兼兵部尚书甘汝来，著名侠客甘凤池等。

钭姓源自姜姓。战国时田氏篡齐之后，齐康公被迁到海边，穴居野食，以钭为釜，其后代就有人以钭为姓氏。历代钭姓者名人很稀少，今知北宋时有处州刺史钭滔。

厉姓源自姜姓。春秋时齐厉公的后代，一部分以厉为姓。历代厉姓名人有：南宋中郎将厉仲方，五代时画家厉归真，清代文学家厉鹗、书画家厉志，当代学者厉以宁等。

戎姓源自宋国子姓。宋微子的后代有戎氏，以戎为姓。又一说是春秋时有戎国，在鲁国西南部，当时为流入内地的西戎族所建，其后裔以戎为姓。还有一说是周朝有戎右的官职，其子孙也以戎为姓。历代戎姓名人有：唐代诗人戎昱，明初名士戎简等。

祖　武　符　刘　　景　詹　束　龙

祖姓源自商代子姓。商王中有祖甲、祖乙、祖辛、祖丁、祖庚等，他们的后代有人以祖为姓。历代祖姓名人有：东汉末孙坚的大将祖茂，东晋北伐大将军祖逖，北魏钜鹿太守祖季真及其子大将祖莹，南朝齐梁时科学家祖冲之及其子祖暅之，唐代诗人祖咏，明末镇守东北的总兵官、投降清朝的祖大寿等。

武姓源自姬姓。周平王少子出生时手心有"武"字纹，取名姬武，其后代有人以武为姓。一说源自宋国子姓。春秋时宋武公的后代中有人以武为姓。历代武姓名人有：唐代女皇帝武则天及其宗族武三思、武承嗣，唐宪宗时宰相武元衡，元代戏曲家武汉臣，清代学者武亿，清末行乞办学的武训等。武姓在当代百家大姓中排第九十一位。

符姓源自姬姓。战国末期鲁顷公的孙子名雅，在秦国任玺符令之职，其后代以符为姓。历代符姓名人有：东汉名士符融，五代时后唐至后周名将符存审及其子符彦超、符彦饶、符彦卿和符彦卿之女后周世宗的符皇后，清代乾隆时学者符曾等。

刘姓源自尧帝陶唐氏。尧帝后裔有刘累，夏朝时为帝孔甲养龙，称御龙氏，后因惧罪潜逃至今河南鲁山，在那里隐居终老，其后代便以刘为姓。一说源自姬姓。东周时期周顷王把刘累旧地（今河南偃师）封给季子，史称刘康公，其后代也以刘为姓。刘姓是中国历史上称帝称王最多的一个姓氏，主要有刘邦建立的西汉，刘秀建立的东汉，三国刘备建立的蜀汉，十六国时刘渊建立的汉（前赵），南朝刘裕建立的宋，五代时刘知远建立的后汉、刘䶮建立的南汉、刘旻建立的北汉等。其他刘姓名人有：西汉淮南王刘安、梁孝王刘武、吴王刘勰，史学家刘向、刘歆父子，南朝文学理论家、《文心雕龙》作者刘勰，隋末割据军阀刘武周，唐代宰相刘晏、刘知几，唐代诗人刘禹锡、刘希夷，宋名将军刘光世、刘锜，元末红巾军首领刘福通，明初朱元璋的谋臣刘基，明末李自成的大将刘宗敏，清代古文家刘大櫆、小说家刘鹗，现当代有文学家刘半农、无产阶阶级革命家刘志丹、女英雄刘胡兰、中华人民共和国主席刘少奇、解放军元帅刘伯承等。刘姓在当代百家大姓中排第四位。

景姓源自芈姓。春秋时楚国公族中景姓者较多，其后代以景为姓。又一说源自姜姓。春秋时齐景公的后代中有人以景为姓。历代景姓名人有：战国时楚国辞赋家景差，东汉初大将军景丹，明初建文朝臣景清，明末名妓、才女景翩翩，清代康熙时诗文家景星杓等。

詹姓有两个源头。一是源自黄帝。黄帝后裔在夏朝曾被封于詹，其后代以詹为姓。二是源自姬姓。西周末年周宣王支子被封于詹，史称詹文侯，其后代也以詹为姓。历代詹姓名人有：战国时术士詹何，南宋太常少卿詹体仁，明初吏部尚书詹同，近现代有铁路专家詹天佑等。

束姓源自田姓。战国时齐国田氏宗族有疏族，自为疏氏。"疏"字古时写作"疎"，汉代有疎广，其后裔在王莽时避乱，将"疎"字去偏旁改姓为束。历代束姓名人有：西晋时经学史学名家束皙，元代画家束宗庚等。

龙姓来源较杂。一是源自董姓。黄帝后裔有飂叔安者，其子为舜帝养龙，号豢龙氏，被封于董，夏商时为董国（在今山西闻喜），其后代多数姓董，也有一些姓龙。二是源自刘姓。刘姓始祖刘累为夏帝孔甲养龙，号御龙氏，其后代多数姓刘，也有少数姓龙。三是黄帝之臣有龙行，其后代也以龙为姓。历代龙姓名人有：秦末楚汉相争时项羽的大将龙且，北宋画家龙章、龙显父子，明代文学家龙膺，清代戏曲作家龙燮，现代民国时云南省主席龙云等。龙姓在当代百家大姓中排第八十位。

叶 幸 司 韶 郜 黎 蓟 薄

叶姓源自芈姓。楚国宗族戌曾任沈尹，史称沈尹戌，其子沈诸梁被封在叶县，史称叶公，其后代以叶为姓。历代叶姓名人有：唐代著名道士叶法善，南宋文学家叶梦得，明代后期戏曲作家叶宪祖，清代文学家叶燮，戏曲声乐家、《纳书楹曲谱》的编者叶堂，现当代教育家、作家叶圣陶和新四军军长叶挺、解放军元帅叶剑英等。叶姓在当代百家大姓中排第四十二位。

幸姓较罕见，其来源或是因为古时某位先祖受到国君宠幸，其子孙便以幸为姓。历代幸姓名人有：晋代医士幸灵，唐代国子祭酒幸南容，南宋时郢州通判幸元龙等。

司姓有几个源头。一是上古时负责占卜的司巫，其后代以司为姓。二是周代职官司马、司寇等官职，其后代以司为姓。三是复姓司马、司寇、司空的后代有部分人单姓司。历代司姓名人有：五代后汉、后周至北宋初名将司超，元代翰林国史院修撰司允德，明代名医司轲，清代宣化总兵司九经等。

韶姓源自上古职官。尧舜时有管理乐器的职官为韶官，其后代以韶为姓。后世韶姓较少，今知有明初按察佥事韶护等。

郜姓源自姬姓。周文王之子被封于郜，史称郜侯，其后代以郜为姓。历代郜姓名人有：元代诗人郜知章，清代画家郜琏、学者郜煜等。

黎姓源自远古时期的九黎部族。黄帝时九黎部族在与中原部族的交战中，有人留居中原，春秋时曾建立黎国（在今山西黎城），后来为晋国所灭，其后代以黎为姓。又一说是商代武丁灭祝融之黎而封其子于黎（今山西长治一带），商末为周武王所灭，其后代也以黎为姓。历代黎姓名人有：明代中期诗书画称为"三绝"的黎民怀，清代诗人、画家黎简，清代河南总督黎世序，近代中华民国总统黎元洪，现当代语言学家黎锦熙等。

蓟姓源自黄帝。周武王封黄帝后裔于蓟（在今天津蓟县一带），其后代以蓟为姓。后世蓟姓者较少，今知有东汉末年术士蓟子训等。

薄姓源自炎帝时的薄姑氏。另外，春秋时宋国有位大夫以薄为食邑，其后代以薄为姓。历代薄姓名人有：汉高祖刘邦的爱姬、汉文帝之母薄太后，薄太后之弟、轵侯薄昭，南朝宋书法家薄绍之，明代正德时四川道监察御史薄彦徽，当代无产阶级革命家薄一波等。

印　宿　白　怀　蒲　邰　从　鄂

印姓源自姬姓。郑穆公之子公子䮕，字子印，其后代以印为姓。历代印姓名人有：春秋时郑国大夫印段，南宋镇江知府印应飞、温州知州印应雷，明代成化、弘治时官至黄州府同知的印宝等。

宿姓源自伏羲氏风姓。周武王封伏羲后裔于宿（今山东东平一带），建立宿国，其后代以宿为姓。历代宿姓名人有：西汉上党太守宿仓舒，北魏吏部尚书宿石，明代正德时刑部员外郎宿进等。

白姓有几个源头。一是源自炎帝之臣白阜，其后代以白为姓。二是源自姬姓。春秋时虞国公族之后百里奚到秦国做官，其子孟明视有二子西乞术和白乙丙，白乙丙的后代以白为姓。三是源自芈姓。春秋时楚平王的太子建的儿子胜，被封在白邑，史称白公胜，其后代以白为姓。四是源自嬴姓。春秋时秦文公的儿子公子白的后代，以白为姓。历代白姓名人有：战国时秦国名将白起，唐代太傅、大诗人白居易和白居易之弟、文学家白行简，元代曲家白朴，明末张献忠部将、后又投降清朝的白文选，清代乾隆时江南都司、书法家白云上，现当代国民党将领白崇禧等。白姓在当代百家大姓中排第七十九位。

怀姓源自上古时无怀氏，其后裔以怀为姓。又一说源自姬姓。周代唐叔虞的后裔封于怀（今河南武陟），其后代也以怀为姓。历代怀姓者名人较少，今知有明代成化年间司礼太监怀恩、清代学者怀应聘等。

蒲姓源自舜帝有虞氏。夏朝封舜帝后裔于蒲，后建立蒲国（在今山西隰县），其后代以蒲为姓。历代蒲姓名人有：五代后蜀画家蒲思训、蒲延昌父子，元代学者蒲道源，明代学者蒲大顺，清代文学家、《聊斋志异》的作者蒲松龄等。

邰姓源自姬姓。其始祖即周的始祖后稷。尧时封后稷于邰，史称有邰氏。其后代以邰为姓。历代邰姓名人较少，今知有明代孝子邰茂质等。

从姓源自姬姓。周平王封其少子于枞（或作从、纵），史称枞侯，其后代以枞为姓，后来又改为姓從（从），枞、從并用。历代从（枞）姓名人有：秦汉之际刘邦的大将枞公，明代成化时怀庆知府从龙，明代万历时名士从任，当代作家从维熙等。

鄂姓源自黄帝的支系姞姓。夏商时被封为侯国之一，为古鄂国（在今河南沁阳），西周初被武王所灭，其后代以鄂为姓。又一说是源自芈姓。西周时楚王熊渠之子熊挚被封在鄂（今湖北鄂城）为鄂侯，其后代以鄂为姓。历代鄂姓者较少，今知有西汉安平侯鄂千秋、当代作家鄂华等。

索 咸 籍 赖 卓 蔺 屠 蒙

索姓源自商代子姓。西周初，周武王平定殷商余孽叛乱，将原居于黄河以北的殷人迁至卫、晋、鲁等国，其中居于鲁国的殷人有索氏，其后代相沿以索为姓。历代索姓名人有：西晋初尚书郎、书法家索靖，索靖之子、尚书左仆射索琳，唐代武则天时的著名酷吏、与来俊臣并称为"来索"的索元礼，五代后唐右龙武将军索自通等。

咸姓源自黄帝时的巫咸，其后代以咸为姓。又一说是源自帝喾时大臣咸丘黑，其后代有以复姓"咸丘"为姓者，如孟子的弟子咸丘蒙，也有以咸为姓者。历代咸姓名人有：唐玄宗时"开元十八学士"之一的咸冀，明代洪武年间学者咸惟一等。

籍姓源自姬姓。春秋时晋国大夫荀林父的孙子伯黡，负责管理晋国典籍，其后代以籍为姓。历代籍姓名人有：春秋时晋国大夫籍谈，汉武帝时名臣籍福，明代孝子籍馨芳等。

赖姓源自姬姓。周武王之弟叔颖被封于赖，子爵，即古赖子国（在今河南息县包信），春秋时被楚国所灭，其后代以赖为姓。一说源自炎帝后裔烈山氏，原来被封于厉（今山西介休之烈山），后来南迁到今河南鹿邑，再迁到在湖北随州之厉乡，春秋时臣服于楚，其后代以赖为姓。历代赖姓名人有：南宋初学者赖文俊，元代文学家赖良，明代永乐时参政赖瑛，清代被誉为诗书画三绝的赖镜，清代后期捻军首领赖文光，现当代解放军上将赖传珠等。赖姓在当代百家大姓中排第九十位。

卓姓源自芈姓。春秋时楚国公族大夫卓滑，其后代以卓为姓。历代卓姓名人有：西汉才女、司马相如之妻卓文君，东汉太傅卓茂，明末戏曲作家卓人月，清初文士卓天寅等。

蔺姓源自姬姓，与韩姓同祖。春秋时晋国韩厥的玄孙受封于蔺邑，其后代以蔺为姓。历代蔺姓名人有：战国时赵国因"完璧归赵"有功被封为上卿的蔺相如，隋代将军蔺亮，南宋初官朝奉郎、"中山先生"蔺敏修，明代永乐时工部右侍郎蔺芳，清初吏科左给事中蔺挺达等。

屠姓源自黄帝时的蚩尤部落。黄帝战胜蚩尤之后，把蚩尤部落中的不安分者放逐到荒漠之地，安分者放逐到邹、屠（在今山东境内）一带，其中在屠地生活的蚩尤后裔就以屠为姓。历代屠姓名人有：春秋时晋国太史屠馀，明嘉靖时川湖总督屠大山，屠大山之子、文学家屠本畯，明代万历时文学家屠隆，屠隆之女、才女屠湘灵，清代康熙时浙江巡抚屠沂等。

蒙姓源自颛顼高阳氏。颛顼后裔有一支在西周初被封于蒙双，其后代以蒙为姓。历代蒙姓名人有：战国时秦国上卿蒙骜，蒙骜之子、大将蒙武，蒙武之子、毛笔的发明者、大将军蒙恬，蒙恬之弟、上卿蒙毅，明代嘉靖时右佥都御史蒙诏等。

池 乔 阴 鬱　胥 能 苍 双

池姓源自嬴姓。春秋时秦国司马公子池的后代，以池为姓。历代池姓名人有：明代嘉靖时太常寺少卿池浴德，池浴德之子、明末文士池显方，清代道光时国子监司业、书法家池生春等。

乔姓源自黄帝有熊氏。黄帝死后葬于桥山，其后人为之守陵墓者，以桥为姓，又将"桥"字去偏旁为乔姓，桥、乔二姓实为一姓。历代乔（桥）姓名人有：西汉经学家桥仁，东汉司徒桥玄，东汉末年东吴孙策妻乔氏（大乔）、周瑜妻乔氏（小乔），唐代武则天时左司郎中乔知之，元代戏曲家乔吉，北宋末年宋徽宗的乔妃，明末刑部左右侍郎乔允升，清代文学家乔莱，当代有外交部长乔冠华等。

阴姓源自姬姓。春秋齐国宰相管仲的七世孙管修远迁楚国，为楚大夫，食邑于阴，其后代以阴为姓。历代阴姓名人有：汉光武帝刘秀的皇后阴丽华，东汉和帝的阴皇后，南朝文学家阴铿，南宋末至元初学者阴幼达、阴幼遇兄弟，明代学者阴秉衡及其子、江西按察使阴子淑等。

鬱姓源自远古时的鬱林氏。鬱林氏的后代以鬱为姓，和"郁"不是一个姓。后世鬱姓非常稀少。

胥姓源自姬姓。春秋时晋国有大夫胥臣，其后代以胥为姓。历代胥姓名人有：北宋时有翰林学士、欧阳修的岳父胥偃，金国尚书右丞胥持国及其子、平章政事胥鼎，明初洪武年间御史胥必彰，清初工部主事胥庭清等。

能姓源自芈姓。周代楚国之君熊挚的后代以熊为姓，但其中也有人在避难时改"熊"为"能"姓。后世能姓者名人非常稀少，今知有唐代安禄山部下大将又投降唐朝的能元皓等。

苍姓源自黄帝之子苍林、黄帝大臣苍颉，还有被称为"高阳八才子"之一的苍舒，他们的后代都以苍为姓，"苍"也写作"仓"，二姓实为一姓。历代苍（仓）姓名人有：周景王时名臣苍葛，三国曹魏时敦煌太守仓慈，元代在南方任新州知州对少数民族施行教化的仓振等。

双姓源自颛顼高阳氏。颛顼的后裔被封于双蒙城者，其后代以双为姓。后世双姓是稀少姓氏，今知有北宋时汉阳知府双渐等。

闻 莘 党 翟 谭 贡 劳 逄

闻姓源自复姓闻人氏。春秋时鲁国大夫少正卯有才善辩，被称为闻人，其后代以闻人为姓，其中也有单姓闻者。历代闻姓名人有：明代鄞县三代名士闻璋及其子闻元奎、闻元璧，闻元璧之子、嘉靖年间吏部尚书闻渊，清代乾隆时学者闻珽，现当代著名教授、作家闻一多等。

莘姓有三个源头。其一是源自远古时期祝融的八个部族之一的莘部族，其后代以莘为姓。其二是源自上古时的有莘氏部族，其后代以莘为姓。其三源自夏代姒姓。夏启封其庶子于莘，建立莘国，其后代以莘为姓。历代莘姓名人有：明初曾任枣强知县的学者莘野，清代书画家莘开等。

党姓源头有二。其一是源自姬姓。春秋时有晋国公族大夫封于党（今山西上党一带），其后代以党为姓。其二是春秋时鲁国有黄帝的后裔禹阳被封于党邑（在今山东），其子孙也以党为姓。历代党姓名人有：北宋太尉党进，明末户部侍郎、降清后又官至国史院大学士的党崇雅等。

翟姓源自黄帝时隗姓狄人部族，春秋时曾建立翟国，其后代以翟为姓。历代翟姓名人有：西汉时廷尉翟公，经学家翟方进，隋末起义军首领翟让，明代中期巡抚翟鹏、大学士翟銮，清代画家翟大坤及其子翟继昌等。

谭姓源自夏朝的姒姓。大禹的后裔在西周初被封在谭，史称谭子国（在今山东章丘，一说在今山东历城），其后代以谭为姓。又有一说是春秋时周朝宗室大夫原伯食采于谭，称谭伯，其后代以谭为姓。历代谭姓名人有：明代嘉靖时抗倭名将、兵部尚书谭纶，明代文学家谭元春，清代后期刑部尚书谭廷襄、文学家谭献，清末改良派革命家谭嗣同，现当代有湖南军阀谭延闿、解放军大将谭政、国务院副总理谭震林等。谭姓在当代百家大姓中排第六十七位。

贡姓源自复姓端木。孔子的弟子子贡复姓端木，名赐，其后代或姓端木，或单姓贡。历代贡姓名人有：西汉御史大夫贡禹，北宋末年名将、岳飞好友贡祖文，元代学者贡奎及其子、户部尚书贡师泰，贡奎从子、翰林学士贡师道，明代孝宗时御史贡安甫等。

劳姓源自远古时期居住在东海崂山的先民，其后代以劳为姓。历代劳姓名人有：北宋真宗时京东转运使劳諲，明代成化时湖州知府劳钺及其子、学者劳济和劳钺族子、嘉靖时副都御史劳堪，清代后期两广总督劳崇光等。

逄姓原来是逢姓，源自炎帝的后裔逢伯陵。逢伯陵在商朝时被封在齐地，为逢国，后来在西周初被周武王所灭，其后代以逢为姓。《庄子》书中所记的那位向后羿学射又杀死后羿的逢蒙实际上比逢伯陵还要早，当是逢姓最早的始祖。历代逄姓名人有：春秋时楚国大夫逢伯、陈国大夫逢滑、越国大夫逢同、齐国车左逢丑父，东汉初名士逢萌，东汉末袁绍的谋士逢纪，南宋末文天祥部将逢龙等。"逢"姓写作"逄"字并读作 páng，不知始于何时，在《百家姓》产生时已写作"逄"了。清代顾蔼吉《隶辨》一书引颜师古《匡谬正俗》云："逄姓者，盖出于逢蒙之后。读当如其本字，更无别音。"又说："据此则书作逢、读若庞者非是。"当代仍有逢姓，如中共党史专家逢先知等。

姬 申 扶 堵 冉 宰 郦 雍

姬姓源自黄帝。黄帝的祖先姓公孙，生于姬水，故姓姬氏。姬姓是中国最古老的也是派生最多的祖姓。由于周朝国君姓姬，西周与东周八百年间分封的许多诸侯国，大多数都源自姬姓。历代姬姓名人有：西汉武帝时封为周子南君的姬嘉，北魏信义将军姬澹，明初曾官西安知府的学者姬敏，当代有外交部长姬鹏飞等。

申姓与谢姓同始祖。周宣王把他的舅父申伯封于谢，其后代多数以谢为姓，也有一部分人以申为姓。又一说是周武王把伯夷的后人封于申，史称申侯，其后代也有人以申为姓。历代申姓名人有：春秋时楚国大夫申包胥，战国时思想家申不害，西汉经学家申公，五代时吴国名优申渐高，明代万历时大学士申时行和申时行之子、兵部尚书申用懋、贵州按察司副使申用嘉，明末自尽殉国的吏部主事申佳胤及其子、清初名士申涵光，清初山西总督申朝纪等。

扶姓源自夏禹时大臣扶登氏，其后代以扶为姓。另外，西汉初有名巫嘉者，善于祷祀，高祖刘邦认为他能感召神祗，匡扶汉室，就赐给扶姓，其后代也就以扶为姓。历代扶姓名人有：西汉学者扶卿、扶少明，北周重臣、开府仪同三司的扶猛，明末刑部右侍郎扶克俭等。

堵姓源自姬姓。春秋时郑国大夫堵叔师之后为堵氏。又楚堵敖氏的后代也以堵为姓。历代堵姓名人有：元末浙江行省检校官堵简，明末湖北巡抚堵胤锡，明末清初戏曲作家堵庭棻，清代能诗善画的才女、"蓉湖女史"堵霞等。

冉姓源自姬姓。周文王少子季载被封于郓（在今河南平舆），其后代把郓姓去邑旁为冉姓。历代冉姓名人有：孔子弟子冉雍、冉耕、冉有，十六国时冉魏的创建者冉闵，明初名士、曾官兵科给事中的冉通,清代康熙至雍正时理学家冉觐祖等。

宰姓源自姬姓。周朝有大夫宰孔,其后代以宰为姓。历代宰姓名人有:春秋时孔子的弟子宰予,明代著名孝子宰应文等。

郦姓源自姜姓。古国名,以国为氏。历代郦姓名人有:秦末楚汉相争时刘邦的谋士郦食其及其弟、汉初右丞相郦商,郦商之子、汉初将军郦寄,北魏地理学家、《水经注》的作者郦道元,郦道元之弟、正平太守郦道慎,鲁郡太守郦道约,明代学者郦洙及其孙郦光祖,清代学者、诗人郦滋德等。

雍姓源自姬姓。周文王之子受封于雍,史称雍伯,其后代以雍为姓。历代雍姓名人有:西汉初被封为什邡侯的雍齿,唐代简州刺史、诗人雍陶,宋代画家雍巘,明代正德时南京户部尚书雍泰等。

郤 璩 桑 桂　濮 牛 寿 通

郤姓源自姬姓。春秋时晋国大夫郤氏家族甚盛,郤芮在晋献公时为大夫,郤芮之子郤缺,郤缺之子郤克,郤缺从子郤犫,郤克之子郤锜,连续为晋国公卿,其后代相传,以郤为姓。历代郤姓名人有:春秋时楚国左尹郤宛,东汉侍中郤巡,三国蜀汉巴西太守郤正,西晋初雍州刺史郤诜,元代左辅监军郤广,明代嘉靖时辽东总兵官郤永等。

璩姓可能是由于古代的璩或镢是耳环的意思,有人因器物崇拜心理而以璩为姓。历代璩姓者名人较少,今知明代官兵部职方司员外郎的书法家璩光岳,明末曾官江西武宁县令的璩伯昆等。

桑姓源自嬴姓。春秋时秦国大夫公孙枝,字子桑,其后代以桑为姓。又一说是源自少昊时期的穷桑氏,其后代以桑为姓。历代桑姓名人有:西汉大司农桑弘羊,《水经》作者桑钦,北宋仁宗时勇将桑怿,明代学者桑春及其子、嘉靖时浙江按察使桑溥,清代后期刑部尚书桑春荣等。

桂姓源自姬姓。秦朝"焚书坑儒"时,周王室后裔季桢遇害,其子奕改姓为桂，名桂奕，其后代便以桂为姓。历代桂姓名人有：南宋名臣、朝散大夫桂万荣，明初学者桂彦良及其从子、修撰桂宗儒，明代嘉靖时大学士桂萼，清代经学家、文学家桂馥，清末学者桂文灿等。

濮姓源自姬姓。春秋时卫国大夫某食采于濮（今河南濮阳），其后代以濮为姓。历代濮姓名人有：宋代画家濮万年、濮道兴兄弟，明初北征大将濮英及其子西凉侯濮玙，清代竹雕艺术家濮仲谦、画家濮璜等。

牛姓源自宋国子姓。春秋后期，宋国公族有名牛父者官司寇，他在战争中阵亡，其后代便以牛为姓。历代牛姓名人有：三国时魏国后军将军牛金，唐代左相牛仙客、太子少师牛僧孺，五代时前蜀尚书郎、诗人牛峤，南宋初岳飞的大将牛皋，明末李自成起义军重用的文臣牛金星，清代道光时两江总督牛鉴等。

寿姓源自姬姓。春秋时吴国国君是姬姓，吴王寿梦的后代中多数姓吴，少数人以寿为姓。历代寿姓名人有：西晋初散骑常侍、经学家寿良，南朝宋曾官南泰山太守的寿寂之等。

通姓源自古巴国。春秋时巴国有位大夫食采于通川（在今四川达县），其后代以通为姓。又有一说是古时有彻氏，西汉时避汉武帝刘彻之讳，改姓通。历代通姓者很罕见。

边 扈 燕 冀　郏 浦 尚 农

边姓源自宋国子姓。春秋时宋平公的公子城，字子边，其后代以边为姓。又有一说是周朝有大夫边伯，其后代也以边为姓。历代边姓名人有：东汉名士边韶，东汉末曾官九江太守、被曹操杀害的边让，唐代画家边鸾，明代文学家边贡，明末曾任米脂县令、掘李自成家祖坟的边大绶，清末闽浙总督边宝泉等。

扈姓源自夏朝的有扈氏。有扈氏曾被封为有扈国（在今河南原阳），其后代以扈为姓。历代扈姓名人有：东汉末年车骑将军扈云，东晋术士扈谦，五代后周左卫上将扈彦珂，北宋初被称为"二扈"的学士扈蒙、扈载兄弟，明代曾任凤翔知府的扈暹等。

燕姓源自姬姓。西周初召公受封建立燕国（在今河北易县一带），直到东周战国时燕国都是中国北方最大的诸侯国。燕国被秦国灭掉之后，其后代有人以燕为姓。又一说是源自黄帝支系，在商朝时被封于燕，史称南燕（在今河南延津），春秋时被郑国所灭，其后代也以燕为姓。历代燕姓名人有：孔子的弟子燕伋，后周至隋初大将军、幽州总管燕荣，北宋礼部侍郎、画家燕肃，燕肃之孙、北宋末龙图阁直学士燕瑛，明代永乐时太仆寺丞燕善等。

冀姓源自帝尧陶唐氏。西周初封尧的后裔建立冀国（在今山西河津），春秋时被晋国所灭，其后代以冀为姓。又一说是晋国公卿郤芮之子郤缺，封于冀，其后代以冀为姓。历代冀姓名人有：北周骠骑大将军冀僑，明代正德时王守仁的弟子冀元亨，清代康熙时工部尚书冀如锡等。

郏姓源自姬姓。西周成王时定鼎于郏鄏（今河南郏县），此地周朝宗族的后代以郏为姓。又一说是春秋时郑国大夫郏张食邑于郏，其后代以郏为姓。历代郏姓者名人很罕见，今知有清代画家郏抡逵等。

浦姓源自姜姓。姜太公的后裔中有支系食采于浦，其后代以浦为姓。历代浦姓名人有：春秋时晋国大夫浦跞，三国曹魏名士浦仁裕，明成化时建宁知府浦镛、嘉靖时学者浦南金，清代雍正时学者浦起龙等。

尚姓出姜姓。姜太公原名吕尚，其后代有人以尚为姓。北魏鲜卑族汉化之后亦有尚姓，如唐代大将军、检校尚书右仆射尚可孤就是鲜卑族。历代尚姓名人有：唐代武则天时方士尚献甫，元代中书平章尚文、戏曲作家尚仲贤，明末刑部郎中尚大伦，清康熙时"三藩"之一的平南王尚之信及其子尚可喜，现当代有史学家尚钺、京剧艺术家尚小云等。

农姓源自神农氏。其后裔中有人以农为姓。历代农姓者很罕见。

温 别 庄 晏 柴 瞿 阎 充

温姓源自姬姓。周成王之弟唐叔虞的后裔中，有的被封于温，其后代以温为姓。历代温姓名人有：北魏大将军温子升，东晋大将军温峤，唐初工部尚书温大雅及其弟、尚书右仆射温彦博，唐代诗人温庭筠，明代后期大学士温体仁，清乾隆时学者温常绶，当代国务院总理温家宝等。

别姓源自周朝别成子，其后代以别为姓。历代别姓名人有：唐代中期参加平定安禄山叛乱的将领别偘，南宋时参知政事别之杰，现代民国时豫西军阀别廷芳等。

庄姓源自芈姓。春秋时楚庄王的后裔中有人以庄为姓。一说源自宋国子姓。春秋时宋戴公名武庄，其后代以庄为姓。历代庄姓名人有：春秋时齐景公时大夫庄贾，战国时思想家庄周，楚国将军庄蹻，南宋兵部侍郎、焕章阁待制庄夏，明代万历时状元、崇祯时国子祭酒庄际昌，清代著名文字狱"明史案"主角庄廷钺，清乾隆时邠州知州、学者庄炘及其子学者庄逵吉，清末教育家、书法家庄鼎彝，当代有乒乓球男子单打世界冠军庄则栋等。

晏姓源自颛顼后裔吴回之子陆终氏，与陆姓同祖。陆终之子晏安的后代以晏为姓。历代晏姓名人有：春秋时齐相国晏婴，北宋宰相、词人晏殊及其子晏几道，明代监察御史、"景泰十子"之一的晏铎，清代乾隆时湖北巡抚晏斯盛等。

柴姓源自姜姓。春秋时齐文公之子名高，高的裔孙有名高柴者，其后代以柴为姓。历代柴姓名人有：西汉初功臣柴武，唐初高祖李渊的驸马、大将军柴绍，五代后周太傅柴守礼，柴守礼之妹、后周太祖郭威的柴皇后，柴守礼之子、后周世宗柴荣，柴守礼之妹、宋太祖赵匡胤之妻柴皇后，明代万历时总兵柴国柱，清代康熙时学者柴绍炳等。

瞿姓源自商代宗族、大夫瞿父，其后代以瞿为姓。历代瞿姓名人有：西汉时术士瞿君武，明代嘉靖时广平知府瞿晟及其子、万历时学者瞿九思，清初在西南辅佐南明永历帝抗清的名臣瞿式耜，清代道光时藏书家瞿绍基，现代共产党早期领导人瞿秋白等。

阎姓源自姬姓。西周初，周成王封太伯的曾孙仲奕于阎乡，其后代以阎为姓。又一说是源自芈姓。春秋时楚国有大夫食采于阎，其后代以阎为姓。历代阎姓名人有：东汉安帝的阎皇后，唐代画家阎立本，明代成化时监察御史阎禹锡，万历至天启时兵部尚书阎鸣泰，清初坚守江阴的抗清义士阎应元，清代文学家阎尔梅、经学家阎若璩，清末光绪时东阁大学士阎敬铭，现代民国时山西军阀阎锡山等。阎姓在当代百家大姓中排第七十五位。

充姓源自周朝时负责祭祀的职官充人，其后代以充为姓。历代充姓者名人很少，今知有孟子弟子充虞，秦朝术士充尚等。

慕　连　茹　习　　宦　艾　鱼　容

慕姓源自复姓慕容氏。十六国时期有吐谷浑族人姓慕容氏，他们进入中原之后被汉化，其后代或有人单姓慕。历代慕姓名人有：元代刑部侍郎慕完，清代康熙时江苏巡抚慕天颜等。

连姓源自姜姓。春秋时齐国公族大夫连称的后代，以连为姓。又一说是颛顼后裔陆终氏第三子名惠连，其后代以连为姓。还有一说是源自芈姓。春秋时楚国公族有连敖，其后代以连为姓。历代连姓名人有：唐代诗人连总，宋代名士连舜宾及其子连庶，明初御史连楹，清代学者连斗山等。

茹姓源自如姓。战国时魏国有如姓，如魏国大夫如耳、信陵君的爱姬如姬。如姓的后代将"如"字加草头为茹氏，如、茹两姓实为一姓。历代茹（如）姓名人有：三国曹魏时陈郡丞、为《汉书》作注的如淳，北魏阳平太守茹让之及其子、光禄少卿茹皓，南朝齐时大司农茹法亮，唐武则天时仆射茹汝升，北宋时江州知州茹孝标，明初御史茹太素、兵部尚书茹瑺，当代有女作家茹志鹃等。

习姓源自先秦时古习国（在今陕西丹凤少习山），其后代以习为姓。又有一说是汉朝息夫躬的后代，有人改姓息为姓习。历代习姓名人有：东汉名士习融及其子习郁，东晋曾官荥阳太守的史学家习凿齿及其子、骠骑从事中郎习辟疆，明代永东时詹事府詹事习经，当代有无产阶级革命家、曾任国务院副总理的习仲勋和国家副主席习近平等。

宦姓源头未详。或云古时有仕宦者家族，其后代以宦为姓。历代宦姓者名人很少，今知有明代进士宦绩，当代学者宦乡等。

艾姓源自夏朝少康之臣汝艾，其后代以艾为姓。又一说是春秋时齐国大夫孔受封于艾陵，史称艾孔，其后代也以艾为姓。历代艾姓名人有：宋代画家艾宣，明代万历时四川巡抚艾穆，明末学者艾南英，清代康熙时刑部尚书艾元徵，现代有著名诗人艾青、作家艾芜等。

鱼姓源自宋国子姓。春秋时宋桓公的儿子目夷，字子鱼，其后代有人以鱼为姓。历代鱼姓名人有：西汉巨商鱼翁叔，隋朝名将鱼俱罗及其弟车骑将军鱼赞，唐代权臣鱼朝恩、女诗人鱼玄机，五代至宋初名臣鱼崇谅，清代画家鱼翼等。

容姓源自古容氏国，其国人后代有人以容为姓。一说是源自黄帝时名臣容成，其后代以容为姓。还有一说是周朝有管理礼乐之官称"容"，其后代以容为姓。历代容姓名人有：金国普定知府容苴，明代永乐时著名的"孝行先生"容悌舆及其孙、正德年间孝子容师偓，清末外交大臣容闳，当代有中国第一个乒乓球男子单打世界冠军容国团等。

向　古　易　慎　　戈　廖　庾　终

向姓源自炎帝后裔被封的古向国（在今山东），春秋时被莒国所灭，其后代以向为姓。又一说是源自宋国子姓。春秋时宋桓公的儿子公子肸食采于向，其后代以向为姓。历代向姓名人有：春秋时宋国大夫向魋（即桓魋），三国蜀汉将军向宠，西晋初散骑常侍、"竹林七贤"之一的向秀，北宋真宗时右仆射向敏中，向敏中玄孙、南宋初户部侍郎向子諲，清代咸丰时钦差大臣向荣等。

古姓源自姬姓。周朝始祖、周文王之父史称古公亶父，其后代有人以"古"字为姓。又一说是周朝有宗族大夫被封在苦城者（在今河南鹿邑），其后代有人将"苦"字作"古"字，取为姓氏。历代古姓名人有：北魏吏部尚书古弼，唐代名士古之奇，北宋初曾任绵州魏城令的名士古成之，明初户部尚书古朴、监察御史古彦辉等。

易姓源自春秋时齐桓公的宠臣易牙，其后代以易为姓。又一说是姜太公后裔有居住在易地者，其后代也以易为姓。历代易姓名人有：南宋礼部尚书易祓，明代嘉靖时学者易翼之，明末左金都御史易应昌，清末诗人易顺鼎等。

慎姓源自芈姓。春秋时楚国权臣白公胜受封于慎，其后代以慎为姓。又一说是春秋时墨子的弟子禽滑厘字慎子，其后代有人以慎为姓。历代慎姓名人有：战国时思想家赵国人慎到，五代时词人慎温其，慎温其之子、北宋初鸿胪寺卿慎知礼，慎知礼之子、开封知府慎从吉，北宋诗人、书法家慎东美，明代嘉靖时进士、官至监察御史的慎蒙等。此外，南宋著名学者、翰林学士真德秀其实原来姓慎，因避宋孝宗赵昚（shèn）之讳而改为姓真。

戈姓源自夏朝姒姓。大禹的后代有一支受封于戈，后被少康所灭，其后代以戈为姓。历代戈姓名人有：明代画家戈汕，明末工部侍郎戈允礼，清代乾隆时刑科给事中戈涛及其弟、太仆寺少卿戈源，当代有学者、翻译家戈宝权等。

廖姓源自黄帝支系己姓，与董姓同祖。黄帝的后裔飂叔安，"飂"字即古"廖"字，其后代即以廖为姓。一说源自舜时名臣皋陶。皋陶的后裔在西周初被封于蓼，即古蓼国（在今河南固始），后被楚国所灭，其后代将"蓼"作"廖"，取之为姓。历代廖姓名人有：东汉经学家廖扶，三国蜀汉将军廖化，南宋初御史中丞廖刚及其子廖迟、廖过、廖遂、廖遽，明初功臣廖永安、廖永忠兄弟，清初文学家廖燕，清代道光时工部尚书廖鸿荃，现当代国民党元老廖仲恺及其子无产阶级革命家廖承志、作家廖沫沙、国民党将军廖耀湘等。廖姓在当代百家大姓中排第六十一位。

庾姓源自远古时担任管理仓库的官职者。因"庾"字本义是中转仓库之意。任此职官的后代就以庾为姓。历代庾姓名人有：东晋大将军庾亮，南朝梁时度支尚书、文学家庾肩吾和庾肩吾之子、北周大将军、开府仪同三司、文学家庾信，隋朝著作佐郎、诗人庾自直，元代杂剧作家庾天锡等。

终姓源自颛顼后裔陆终氏，其后代有人以终为姓。历代终姓名人有：秦汉之际项羽的部将终公，西汉武帝时谏大夫终军，唐代曾官县令、杜甫赠之以诗的终郁，明代永乐时鸿胪寺主簿终其功等。

暨 居 衡 步　都 耿 满 弘

暨姓有两个源头。一是春秋时越国大夫诸暨郳的后代复姓诸暨，也有单姓诸或暨者。二是远古时有大彭氏，其后裔受封在暨，就以暨为姓。历代暨姓名人有：三国孙吴尚书暨艳，东晋时仕为广昌长、被封关内侯的暨逊，北宋神宗年间状元、官至奉议郎的暨陶等。

居姓源自姬姓。春秋时晋国公族大夫先且居的后代，以居为姓。历代居姓名人有：西汉时东城侯居股、湘成侯居翁，元代平定州同知居理贞，明初学者居仁，明代万历时文征明的弟子、书画家居节等。

衡姓源自商相伊尹。因伊尹受封为"阿衡",其后代或者姓伊,或者姓衡。历代衡姓名人有:西汉经学家衡胡,西汉末被王莽任用为讲学大夫的衡咸等。

步姓源自郤氏。春秋时郤氏在晋国世代为公卿大夫,其中郤义之子郤扬受封于步,史称步扬,其后代就以步为姓。历代步姓名人有:三国孙吴丞相步骘,步骘之子、投降晋朝的将军步阐,唐代才女步非烟等。

都姓有两个源头。一是春秋时郑国大夫公孙阏,字子都,其后代有人以都为姓。二是源自芈姓。春秋时楚国公族有公子田食采于都邑,称公都氏,其后代以都为姓。历代都姓名人有:北宋时官至司农少卿的都颉,南宋初学者都郁、都洁父子,明代中期官至太仆少卿的学者都穆,明代嘉靖时官至南京兵部尚书的都杰等。

耿姓源自姬姓。西周时分封的诸侯国有小耿国(在今山西河津县西南),春秋时被晋国所灭,其后代以耿为姓。历代耿姓名人有:东汉初经学家耿况及其子大将军耿弇、大司马耿国,唐代诗人、"大历十才子"之一的耿㳌,北宋末宝文阁直学士耿南仲,明初名将耿再成,明代万历时户部尚书、学者耿定向,清初"三藩"之一的靖南王耿仲明、耿继茂、耿精忠祖孙三代,清代康熙时著名学者、少詹事耿介等。

满姓源自舜的后裔胡公满,与胡姓、陈姓同祖。胡公满的后裔有些人以满为姓。又王孙满的后代也姓满氏。历代满姓名人有:西汉时匡衡的弟子、名士满昌,三国曹魏大将军满宠及其子昌邑侯满伟和满伟之子、被司马昭杖死的满长武,明末太仆少卿满朝荐等。

弘姓源自姬姓。春秋时卫国公族大夫弘演的后代,以弘为姓。历代弘姓名人有:西汉宣帝时中书令弘恭,东汉末年孙权的姐夫、向孙权推荐诸葛瑾的弘咨等。

匡 国 文 寇 广 禄 阙 东

匡姓源自春秋时的匡邑。一说鲁国有匡邑,句须为匡邑宰;一说卫国有匡邑(在今河南长垣),郑国也有匡邑(在今河南杞县)。这几处的后裔都以匡为姓。历代匡姓名人有:西汉丞相匡衡及其子匡咸,明初武德将军匡福,明代正德时广东按察使匡翼之等。

国姓源自姜姓。春秋时齐国有公族国氏,世为齐国上卿,其后代以国为姓。又一说是源自姬姓。春秋时郑穆公之子名发,字子国,其后代也以国为姓。历代国姓名人有:春秋时齐国大夫国归父,西汉末年王莽时祭酒国由,三国曹魏太仆国渊,金国末年被封为兖王、后又投降南宋的国用安等。

文姓源自姜姓。西周初封炎帝后裔文叔于许,史称许文叔,其后代以文为姓。一说源自姬姓。周文王的后裔中有人以文为姓。历代文姓名人有:春秋时越国大夫文种,东汉末年曹魏的大将文聘,袁绍的大将文丑,北宋宰相文彦博,南宋末民族英雄文天祥,明代文学家、画家文征明及其长子文彭、次子文嘉,文征明曾孙、明代天启年间状元文震孟,清末光绪时侍讲学士文廷式等。

寇姓源自复姓司寇(参见下文复姓"司寇"一段)。周朝曾官司寇之职者,他们的后代有人以司寇为姓,或者单姓寇。历代寇姓名人有:东汉初功臣寇恂,北魏术士寇谦之,北宋宰相寇准,明代嘉靖时刑部侍郎寇天叙,明末金陵名妓寇湄(白门)等。

广姓源自黄帝时的高士广成子。传说中广成子曾隐居崆峒山,后来成仙,其后代以广为姓。历代广姓者名人很罕见。

禄姓源自殷商子姓。殷纣王之子武庚字禄父,其后代以禄为姓。一说是周朝时有官职名司禄,担任此职的官员后裔有人以禄为姓。历代禄姓者名人很罕见。

阙姓源自孔子故里阙里。阙里在鲁国又称阙党邑,此地之民的后代或以阙为姓。历代阙姓名人有：南宋初高宗朝宦官阙礼，明代弘治时平凉知府阙清，明末崇祯时进士、学者阙士奇，清代画家阙岚等。

东姓源自伏羲太昊氏的后裔东户氏，其后代以东为姓。历代东姓名人有：虞舜时舜之友东不识，元代末商州总管东良会，明代正德时应天府巡按御史东郊等。

欧 殳 沃 利　蔚 越 夔 隆

欧姓源自复姓欧冶、欧阳（参见后文"欧阳"一段）。欧冶、欧阳氏的后代也有人单姓欧者。历代欧姓名人有：西汉时孝子欧宝，北宋时曾官永春知县的欧庆，明代中期广西总兵官欧信，嘉靖时南京工部郎中欧大任等。

殳姓源自神农氏的孙子伯陵。伯陵的儿子名殳，因发明箭靶而被尧帝封为殳侯，其后代就以殳为姓。又一说是"殳"的本义是一种兵器，古代宫中卫士执殳作为仪仗队，有负责执殳的官员，其后代以殳为姓。历代殳姓名人有：南朝宋明帝时道士殳季真，明代浙江秀水孝子殳邦清，清代嘉善才女殳默等。

沃姓源自商朝子姓。商王沃丁的后代，有人以沃为姓。历代沃姓名人有：明初温县知县沃墅，明代成化时进士、监察御史沃频等。

利姓源自李姓。殷商末年理利贞的后代，有人单姓利（参见前文"李"姓一段）。历代利姓名人有：秦汉之际项羽的部将利几，南宋时陆九渊的弟子、学者利元吉，明代曾官四川安岳县丞的利本坚等。

蔚姓源自姬姓。西周宣王时郑国公子翩被封于蔚，其后代以蔚为姓。历代蔚姓名人有：五代后周至北宋初大将蔚兴及其子、北宋节度使蔚昭敏，明初官至礼部尚书的蔚绶，明代天顺时礼部右侍郎蔚能等。

越姓源自夏朝姒姓。夏朝少康封其庶子无余于越，即春秋时越国始祖，其后代有人以越为姓。历代越姓名人有：春秋时齐国名士、被晏婴延为上宾的越石父，明代宣德年间曾官播州宣慰司儒学训导的越升，明末河南巡抚越其杰等。

夔姓源自熊姓。春秋时楚国熊挚的后代被封于夔，其子孙以国为氏。历代夔姓者名人很罕见。

隆姓源自春秋时鲁国的隆邑。此地民众的后代或以隆为姓。历代隆姓名人有：明代宣德年间举人、后官至御史的隆英，万历年间官至御史的隆光祖等。

师 巩 厍 聂　晁 勾 敖 融

师姓源自姬姓。周代公族某为乐官，名曰师尹，其后代以师为姓。《姓谱》云："古者掌乐之官曰师，因以为姓。"历代师姓名人有：春秋时晋国大夫师服、乐师师旷，孔子曾拜之为师的师襄，西汉末年大司空、安乐侯师丹，晋时相士师圭，明代永乐时吏部尚书师逵，清代康熙时甘肃提督师懿德等。

巩姓源自姬姓。晋国公族大夫巩朔，史称巩伯，其后代以巩为姓。历代巩姓名人有：西汉侍中巩伋，南宋时提辖巩丰及其弟、大理寺丞巩嵘，明朝亡国时自焚殉国的驸马都尉巩永固，清代康熙时翰林院侍读学士巩建丰等。

厍读shè，实即是库姓。张澍为应劭《风俗通姓氏篇》作注云："俗作厍，非，乃当作库。"库姓源自古时候守库大夫，其后代以库为姓。又一说是十六国及北朝时鲜卑族人慕容氏的后裔有库狄氏，以及其他少数民族的复姓库汗、库门、库若干、库莫奚等，其后代也有单姓库者。"库"姓写作"厍"不知始于何时，至迟在五代末《百家姓》成书时。历代厍姓者名人较少，今知西汉时有金城太守、被封为辅义侯的库钧等。而复姓库狄者名人却有不少，如北齐朔州刺史库狄盛、库狄回洛，北周开府仪同三司库狄昌，唐代玄宗时御史、诗人库狄履温等。

聂姓源自姬姓。春秋时卫国公族大夫被封于聂邑（在今河南清丰一带），其后代以聂为姓。历代聂姓名人有：战国时韩国侠客聂政，唐代女侠聂隐娘、诗人聂夷中，宋代名妓聂胜琼，明代嘉靖时工部尚书聂贤，现当代有音乐家聂耳、解放军元帅聂荣臻、围棋国手聂卫平等。

晁姓源自姬姓。晁，古作"鼂"。春秋时卫国公族大夫史鼂，其后代以鼂为姓，后来又把"鼂"写作"晁"。历代晁姓名人有：西汉御史晁错，北宋词人晁端有、晁端礼兄弟和晁端有之子、词人晁补之，明代藏书家、《宝文堂书目》的编者晁瑮等。文学作品中最著名的人物是《水浒传》中梁山首领晁盖。

勾姓本为句姓，南宋初避宋高宗讳改为"勾"。源自远古时管理林木的官员句芒氏，其后代或姓句，或作"勾"、"钩"、"苟"。历代勾姓名人有：春秋时孔子的弟子勾井疆，三国蜀汉左将军勾扶，五代后蜀至北宋初文士句中正，北宋末至南宋初史馆修撰勾涛等。

敖姓源自颛顼帝之师大敖，其后代以敖为姓。又一说是源自芈姓。楚国的国君中，凡是被废或者被弑而不成其为国君者曰敖，如若敖、堵敖等，其后代有人以敖为姓。历代敖姓名人有：南宋时曾官温陵通判的敖陶孙，明代嘉靖时河南提学副使敖英，清代乾隆时贵州提督敖成等。

融姓源自上古时祝融氏。祝融本是管理火种的火正，其后代以融为姓。历代融姓者名人很罕见。

冷 訾 辛 阚 那 简 饶 空

冷姓源自黄帝之臣伶伦氏。其后代以伶为姓，因伶与泠同音，后又改"伶"为"泠"，进而又改"泠"为"冷"。泠姓与冷姓实为一姓。又一说是周初卫康叔的后裔被封于冷邑，其后代以冷为姓。历代冷姓名人有：周景王时乐官泠州鸠，西汉宣帝时淄川太守泠丰，东汉末年刘璋的部将冷苞,南宋时被称为"冷面御史"的冷世光及其弟、和州通判冷世修,明初太常协律郎冷谦,清代画家冷枚等。

訾姓源自帝喾时的訾陬氏。帝喾之妃即訾陬氏之女,其家族后代以訾为姓。历代訾姓名人有:西汉成帝时楼虚侯訾顺,金国丘处机弟子、被称为仙翁的道士訾亘,元朝孝子訾汝道等。

辛姓源自上古时的辛氏部族。大禹的母亲即是有辛氏之女,其部族后代有人以辛为姓。又一说是源自莘姓。夏启封其支子于莘,其后代以莘为姓,也有人将"莘"去草头而单姓辛。历代辛姓名人有:殷纣王时贤臣辛甲,周平王时大夫辛有,西汉时破羌将军辛武贤,三国曹魏侍中辛毗,北周秘书监辛庆之,南宋词人辛弃疾,元代文士、《唐才子传》的作者辛文房,明代万历时左都御史辛自修等。

阚姓源自黄帝支系姞姓。商朝时黄帝的后裔被封为南燕伯者,其后裔又于西周时被封于阚,其后代以阚为姓。又一说是春秋时齐悼公的家臣阚止的后代,以阚为姓。历代阚姓名人有:东汉末孙吴名士阚泽,北魏尚书、经学家阚骃,隋末杜伏威的部将阚稜,元代万户府知事阚文兴等。

那姓源自商代子姓。商王武丁的后裔中有人建立权国。春秋时楚武王灭权国,把此国人迁到那处之邑,其后代就以那为姓。那读nuó。历代那姓者名人较少,今知有宋代扬州知府那诺春等。

简姓源自姬姓。春秋时晋国大夫狐鞠居死后谥号为简伯,其后代以简为姓。历代简姓名人有:三国时蜀汉昭德将军简雍,五代南汉状元、祯州刺史简文会,南宋时贺州知州简世杰,明代弘治时南京刑部主事简芳,清代后期衢州镇总兵简敬临等。

饶姓源自帝舜有虞氏。帝舜之子商均的支子被封于饶,其后代以饶为姓。又一说是春秋时齐国有位大夫食采于饶邑,其后代以饶为姓。历代饶姓名人有:西汉鲁阴太守饶威,南宋初被陆游称为"诗僧第一"的饶节,南宋经学家饶鲁,明代万历时南京兵部主事饶伸,清代后期浙江总督饶廷选等。

空姓源自商朝子姓。传说商祖契受封于空桐，其后代以空桐（或作空同）为姓，后来也有人单姓空。一说伊尹生于空桑，伊尹的后代也有人以空为姓。历代空姓者名人非常罕见。

曾 毋 沙 乜　养 鞠 须 丰

曾姓源自夏朝姒姓。夏少康帝封其少子曲列于鄫，建立鄫国，后为莒国所灭，其后代以鄫为姓，后来又把"鄫"字去邑旁为曾。又一说是西周时周穆王封姬姓族人建立曾国（在今河南方城），后被楚国所灭，其后代也以曾为姓。历代曾姓名人有：春秋时孔子弟子曾参，北宋端明殿学士曾公亮，北宋文学家、名列"唐宋八大家"之一的曾巩及其弟翰林学士曾布，元代曲家曾瑞，明代陕西三边总督曾铣，清代后期湘军统帅、武英殿大学士曾国藩及其弟曾国荃，清末小说作家、《孽海花》作者曾朴等。曾姓在当代百家大姓中排第三十二位。

毋姓源自帝尧之臣毋句。毋句善作磬，其后代以毋为姓。历代毋姓名人有：五代后蜀左仆射毋昭裔，毋昭裔之子、五代后蜀工部尚书、入北宋官工部侍郎的毋守素，明初洪武太仆少卿毋祥，明代弘治时进士、官至御史的毋恩等。

沙姓源自殷纣王之兄、宋国始祖微子启，与宋姓同祖。微子的后裔有沙氏，其后代以沙为姓。历代沙姓名人有：宋代名将沙世坚，明初洪武时曾官新城知县的沙良佐，清代康熙时文士沙张白，清代书法家沙神芝，清代名妓、才女沙嫩儿，当代书法家沙孟海、作家沙叶新等。

乜姓源自姬姓。春秋时，卫国公族有位大夫食采于乜邑，其后代以乜为姓。一说是后世少数民族的姓氏汉化成为乜氏，如后周朝廷赐部族费乜头为乜氏，明代北方蒙古族首领也先的后代也有人以乜为姓。历代乜姓者名人很罕见。

养姓源自楚国封地养邑。受封者的后代以养为姓。历代养姓名人有：春秋时楚国大夫、射箭能手养由基，东汉时名儒养奋等。

鞠姓源自姬姓。周朝始祖后稷的孙子子鞠，其后代以鞠为姓。另外，麴姓的后代也有把"麴"写作"鞠"字者，或者是鞠姓把"鞠"字写作"麴"字者，此二姓有时混用。历代鞠姓名人有：战国末期燕国太子丹的太傅鞠武，北宋初著作郎鞠常及其子兵部员外郎鞠仲谋，北宋仁宗时殿中侍御史鞠咏，清代书法、金石名家鞠履厚等。

须姓源自商代的密须氏建立的密须国。此国后来于西周初被周文王所灭，其后代以密须为姓，或者单姓须。历代须姓名人：战国时魏国中大夫须贾，明末尚宝司少卿须之彦、青州知府须用纶等。

丰姓源自姬姓。周文王少子被封于酆，其后代以酆为姓，也有将"酆"字去偏旁而姓丰者（参见前文"酆"姓一段）。又一说是郑穆公之子名为丰，其后代以丰为姓。历代丰姓名人有：春秋时郑国大夫丰施，北宋末徽宗时御史中丞丰稷，明初名儒丰寅初及其子、官至河南布政使的丰庆等。

巢　关　蒯　相　　查　後　荆　红

巢姓源自远古时的有巢氏。其后代在商代被封在巢（在今安徽巢县一带），建立巢国，春秋末被吴国所灭，其后代以巢为姓。历代巢姓名人有：东汉司空巢堪，隋代名医巢元方，北宋进士巢谷，明末清初孝子巢鸣盛等。

关姓有两个源头。一是源自夏末夏桀时的忠臣关龙逢，他本名龙逢，因食邑于关而称关龙逢，其后代以关为姓。二是源自周代担任"关尹"之职者，他们的后代中有人以关为姓。历代关姓名人有：三国时刘备的结义兄弟、后代被封为关帝的关羽，唐代节度使张建封的爱妾关盼盼，元代戏曲作家关汉卿，清代后期抗击英国侵略军的水师提督关天培,现当代有无产阶级革命家、八路军一二〇师政委关向应等。

蒯姓源自姬姓,但是又有两个源头。一是源自春秋时晋国公族大夫蒯得,其后代以蒯为姓。二是源自春秋时卫国卫庄公蒯聩,其后代也以蒯为姓。历代蒯姓名人有:秦汉之际韩信的谋士蒯通,南朝宋时辅国将军蒯恩,唐代画家蒯廉,明代永乐至天顺时工部侍郎、宫殿建造大师蒯祥,清末江宁布政使蒯德模等。

相字有平声和去声两种读音,作为姓氏来源不同。一是源自夏朝姒姓。夏朝第五代国君名相(xiāng),他所建都的地方名相里,其后代就以复姓"相里"为姓,也有人单姓相。二是源自商朝子姓。商朝第十三代国君河亶甲建都于相,宗族留居于此地,其后代以相(xiàng)为姓。历代相姓名人有:北齐时校尉相愿,明初画家相礼,明代嘉靖时刑部郎中相世芳等。复姓相里者有五代后晋保义军节度使相里金等。

查姓源自姜姓。春秋时齐顷公之子食采于柤,其后代以柤为姓,"柤"即古"查"字,读为zhā,也写作"楂"或"樝",后来写作"查"。历代查姓名人有:五代南唐至北宋初官至御史的查陶,北宋真宗时龙图阁待制查道,明代隆庆、万历时广西副使查铎,清初文学家、戏曲作家查继佐,清代康熙时文学家查慎行和查慎行之弟、因文字狱案被治罪的查嗣庭,当代武侠小说作家查良镛(金庸)等。

後姓(这里是"后"字的繁体字"後")源自太昊的孙子後照,其后代以後为姓。历代後姓名人有:五代后汉时曾官飞龙使的後赞,明代永乐时曾官陕西布政司参议的後敏,清代书法家後祺、画家後礼等。

荆姓源自芈姓。西周时楚国先祖被封在荆山一带,称为荆国,又改称楚国,后世常见并称为"荆楚",楚国的后裔中部分人以荆为姓。又一说是源自姜姓。春秋时齐国公族庆氏的后代有人改姓荆,如战国时刺秦王的荆轲原来在卫国时就名为庆卿，到燕国后才称荆轲。历代荆姓名人有：东汉初蜀王公孙述的骑都尉荆邯，五代后周至北宋初武将荆罕儒，荆罕儒之孙、北宋初都指挥使荆嗣，明代万历时河南巡抚荆州土，清代乾隆时安徽巡抚、被刘墉称为"第一清官"的荆道乾等。

红姓有两个源头。一是源自芈姓。春秋时楚国公族熊挚，其字为红，受封于鄂，其后代有人以红为姓。二是源自刘姓。西汉时楚元王刘交的儿子刘富被封为红侯，史称红侯富，刘交参与吴王谋反而被杀，刘富的后代中有人以红为姓。历代姓红者名人很罕见。

游 竺 权 逯　盖 益 桓 公

游姓源自姬姓。春秋时郑穆公的儿子名偃，字子游，史称公子偃，其后代以游为姓。历代游姓名人有：十六国时前赵开府仪同三司游子远，北魏东雍州刺史游雅，南宋孝宗时朝散大夫游少游，明代嘉靖时福建巡抚游震得，清代乾隆时南安知府游绍安，当代学者、北京大学教授游国恩等。

竺姓源自西汉宣帝时谒者竺次，其后代以竺为姓（见《汉书·西域传》）。一说源自东汉时的竹晏，他因避祸而改姓竺，其后代以竺为姓。还有一说是源自古代天竺国人，他们入居中国之后以竺为姓。历代竺姓名人有：明代正统年间福建参议竺渊，当代气象科学家竺可祯等。

权姓源自商代子姓。商朝武丁的后裔建立权国，后被楚武王所灭，其后代迁往那处的以那为姓，也有部分人以权为姓（参见前文"那"姓一段）。又一说是楚武王以宗族斗缗为权县尹，其后代也以权为姓氏。历代权姓名人有：唐代宰相权德舆及其子、中书舍人权璩，南宋初参知政事权邦彦，明初史学家、《庚申外史》作者权衡等。

逯姓源自嬴姓。春秋时秦国公族大夫被封于逯，其后代以逯为姓氏。一说是春秋时楚国公族亦有逯氏，其后代也以逯为姓。历代逯姓名人有：西汉末王莽新朝大司马逯并，元代监察御史逯鲁曾，明代天顺时权臣逯杲，明末天启时给事中逯中立等。

盖姓源自姜姓。春秋时齐国公族有大夫食邑于盖，其后代以盖为姓。另外，北魏鲜卑族的盖楼（娄）氏的后代汉化以后以盖为姓。历代盖姓名人有：西汉时司隶校尉盖宽饶，东汉初安平侯盖延，唐代经学家、并称为"二盖"的盖文达、盖文懿兄弟，明初礼部主事盖霖，清代嘉庆时台湾知府盖方泌等。

益姓源自嬴姓。上古时舜臣皋陶后裔伯益曾辅佐大禹治水，其后代有人以益为姓。历代益姓者较少。

桓姓源自黄帝时大臣桓常，其后代以桓为姓。又一说是春秋时齐桓公、宋桓公的后代中有人以桓为姓。历代桓姓名人有：西汉政论家、《盐铁论》作者桓宽，东汉初给事中、经学博士桓谭，经学博士、关内侯桓荣，桓荣的后裔、东晋散骑常侍桓彝，桓彝之子、征西大将军桓温，桓温之子、起兵叛乱称帝的桓玄，南朝齐骁骑将军桓康，唐代武则天时羽林将军桓彦范等。

公姓源自商周时公族后裔中以公孙、公孟、公仲、公叔、公子、公西等为复姓者。他们的后代中有人单以公为姓。历代公姓名人有：明代正德时大同巡抚公勉仁，明万历时编修、得罪于张居正而被谪为泽州判官的公家臣，公家臣之子、官至礼部侍郎的公鼐等。

万俟　司马　上官　欧阳

《百家姓》从这一句起，开始排列复姓，其中也夹有部分单字姓。

万俟，原是匈奴和鲜卑族的姓氏，后来他们入居内地汉化之后，此姓作为复姓也成为汉族之姓。北魏的"十大贵族"姓氏之一即是万俟，北魏献文帝的弟弟之子也赐姓为万俟。历代万俟姓名人有：北魏义军首领万俟丑奴，北齐时太尉万俟普、将军万俟洛，北宋时词人万俟雅言、万俟咏，南宋初参与害死岳飞的右相万俟卨等。

司马源自西周时的官职司马。历代姓司马的名人有：孔子的学生司马耕（子牛），春秋时齐国兵法军事家司马穰苴，西汉史学家、《史记》的作者司马迁，文学家司马相如，方士司马季主，三国曹魏后期大将军司马懿及其后代建立晋朝的司马氏皇族，唐代方士司马承祯，北宋名臣与史学家、文学家司马光等。

上官源自芈姓。战国时楚国公族大夫上官子兰的后代，以上官为姓。历代上官姓名人有：西汉左将军上官桀及其子车骑将军上官安，唐初名臣、诗人上官仪和上官仪的孙女、武则天时女官上官婉儿，北宋大将军上官正，清代画家上官周，当代有电影演员上官云珠等。

欧阳源自夏朝后裔越国之姓。战国时越国被楚国所灭，越王无疆的儿子蹄被封于欧余山之阳，其后代便以欧阳为姓，后来也分解为欧姓和阳姓。历代欧阳姓名人有：西汉时大儒欧阳生，唐代书法家欧阳询，北宋名臣、名列"唐宋八大家"的文学家欧阳修，元代翰林学士欧阳玄，明代礼部尚书欧阳德，现当代戏剧家欧阳予倩、书法家欧阳中石等。

夏侯　诸葛　　闻人　东方

夏侯源自夏朝姒姓。大禹后裔在西周初被封为杞侯，建立杞国，春秋时被楚国所灭，其后代逃奔鲁国，被封为侯爵，奉祀大禹，其后代以夏侯为姓。历代夏侯姓名人有：西汉初功臣夏侯婴，西汉经学家夏侯始昌及其子夏侯胜，东汉末曹操部下将军夏侯惇、夏侯渊，唐代侍御史、"大历十才子"之一的夏侯审，五代后蜀至北宋初画家夏侯延祐，北宋著作佐郎夏侯嘉正等。

诸葛姓有两个源头。一是夏商时有诸侯葛伯，建立葛国，其后代以葛为姓，也有复姓诸葛者。二是秦朝末年陈胜部将葛婴，其子孙在西汉文帝时被封诸县侯，简称为诸葛，后代即以诸葛为姓。历代诸葛姓名人有：三国时蜀汉丞相诸葛亮及其子诸葛瞻、孙吴大将军诸葛瑾及其子诸葛恪，唐代方士诸葛殷，南宋初吏部侍郎诸葛廷瑞，明代万历时名士诸葛应科等。

闻人姓源自春秋时鲁国少正卯。少正卯当时被称为鲁国之"闻人"，即有名气的人，他被孔子所杀，其后代即以闻人为姓。历代闻人姓名人有：西汉经学家闻人通汉，北宋末常州通判闻人宏，明代画家闻人绍宗，嘉靖时御史闻人诠等。

东方姓源自伏羲。伏羲的后裔有名羲仲者，世掌东方青阳之令，其后代以东方为姓。另外，东方姓还源出张姓。西汉武帝时中郎东方朔本来姓张，其父名张夷，其母田氏，改姓东方之后，后代皆以东方为姓。历代东方氏名人有：唐武则天时侍臣东方虬，唐玄宗时舍象亭"十八学士"之一的东方颢等。

赫连　皇甫　尉迟　公羊

赫连源自非汉族的少数民族之姓。十六国时南匈奴铁弗部右贤王后裔名勃勃，建立夏国称帝，自制姓为赫连氏，即赫连勃勃，其后代多以赫连为姓。另外吐谷浑的后裔也有赫连氏。历代赫连姓名人有：赫连勃勃之子赫连昌、赫连定，其后代北齐时的郑州刺史赫连子悦，北周大将军赫连达，唐代武宗至懿宗时名士、被称为"八贤"之一的赫连韬等。

皇甫姓源自宋国子姓。春秋时宋戴公之子名充石，字皇父，其后代以皇父为姓。西汉时，其后裔皇父鸾迁居茂陵，改姓皇父为皇甫。历代皇甫姓名人有：东汉末尚书皇甫规、冀州牧皇甫嵩和皇甫嵩曾孙、西晋初学者皇甫谧，唐代工部郎中、诗人皇甫湜，五代时南唐将军皇甫晖及其子皇甫继勋，明代嘉靖时被称为"皇甫四杰"的文士皇甫冲、皇甫涍、皇甫汸、皇甫濂等。

尉迟姓源自北魏鲜卑贵族尉迟部。北魏孝文帝时赐尉迟部的后代以尉迟为姓。历代尉迟姓名人有：北周大将军尉迟迥，唐初开国功臣尉迟恭，五代时南唐史官尉迟偓，元代辽东廉访使尉迟德诚等。

公羊姓源自姬姓。春秋时鲁国公族有公孙羊孺，其后代以公羊为姓。历代公羊姓名人有：战国时子夏弟子公羊高，公羊高的玄孙、西汉景帝时经学家公羊寿等。

澹台　公冶　　宗政　濮阳

澹台姓源自地名。春秋时鲁国境内有澹台山（在今山东嘉祥境内），此地的居民以澹台为姓。历代姓澹台者较少，今知有春秋时孔子的弟子澹台灭明，东汉学者澹台敬伯等。

公冶姓源自姬姓。春秋时鲁国公族大夫季冶，字公冶，其后代以公冶为姓。历代姓公冶者较少，今知有孔子的弟子公冶长等。

宗政姓源自刘姓。西汉楚元王刘交的孙子刘德，官为宗正，其后代以宗正为姓，或写作宗政。历代姓宗政者较少，今知有北魏安西将军、光禄大夫宗正珍孙等。

濮阳姓源自地名。春秋时卫国公族大夫居住于濮水之阳（今河南濮阳一带），其后代便以濮阳为姓。历代濮阳姓名人有：三国孙吴丞相濮阳兴，明初功臣、武德将军濮阳成，明代嘉靖时曾官南昌府通判的学者濮阳涞等。

淳于　单于　　太叔　申屠

淳于姓源自夏朝姒姓，与湛姓同源。西周初，斟灌氏后裔被封于淳于，史称淳于公，其后代以淳于为姓。历代淳于姓名人有：春秋时齐国滑稽之士淳于髡及其后代、博士淳于越，西汉名医淳于意，唐代传奇李公佐的《南柯记》中主人公淳于棼，唐代初年登州刺史淳于难及其弟宰相淳于朗等。

单于源自汉代匈奴。汉代匈奴首领称单于，其单于王族迁居内地者并汉化,以单于为姓。北魏及后来的北齐、北周时仍有匈奴的后裔姓单于。

太叔姓源自姬姓。春秋时卫文公之子太叔仪的后代,以太叔为姓。又一说是郑庄公之弟公叔段受封于京,称为"京城太叔",其后代也有以太叔为姓者。历代姓太叔者名人很罕见。

申屠姓源自姜姓。西周末周幽王的王后申后之兄被封为申侯,居于屠原,其后代以申屠为姓。历代申屠姓名人有:西汉宰相申屠嘉,东汉中大夫申屠刚,宋代方士申屠有涯,元代淮西江北道肃政廉访使申屠致远,明初翰林修撰申屠衡等。

公孙 仲孙 轩辕 令狐

公孙姓源自黄帝。黄帝初姓公孙,后改为姬姓。黄帝的后裔有以公孙为姓者。较多的说法是源自商周时诸侯国的国君之孙,其后代多以公孙为姓,或者派生出其他复姓如公孟、公仲、公季、公子、公西等。历代公孙姓名人有:春秋时卫国大夫公孙免馀,秦国大夫公孙枝,战国时孟子弟子公孙丑,西汉宰相公孙弘,王莽时自立为蜀王的公孙述,东汉末军阀公孙瓒,三国曹魏辽东太守公孙渊,唐初武卫大将军公孙武达等。

仲孙源自姬姓。春秋时鲁桓公之子庆父又叫共仲,其后代以仲孙为姓。如春秋时鲁国大夫仲孙蔑(孟献子)、仲孙玃(孟僖子)、仲孙何忌(孟懿子),齐桓公时大夫仲孙湫等。

轩辕姓源自黄帝有熊氏。黄帝别称轩辕氏,其后裔有人以轩辕为姓。历代姓轩辕者名人较少,今知有唐代道士轩辕集等。

令狐姓源自姬姓。周文王之子毕公高的后代毕万仕晋为大夫,毕万的曾孙魏颗被封在令狐(今山西临猗),其后代以令狐为姓。又一说是唐代狐姓者有人改为姓令狐。历代令狐姓名人有:西汉武帝时为戾太子鸣冤的令狐茂,北周大将军令狐整及其弟合州刺史令狐休,令狐整之子、隋朝汴州刺史令狐熙，令狐熙之子、唐初国子祭酒令狐德棻，令狐德棻的后裔、唐敬宗时尚书仆射令狐楚，令狐楚之子、刺史令狐绪和宰相令狐绹，清代有知县令狐亦岱等。

钟离　宇文　长孙　慕容

钟离姓源自宋国子姓。春秋时宋国公族某仕于晋国，被邰桓氏所杀，其子州犁逃亡到楚国，被封于钟离（今安徽凤阳），其后代以钟离为姓。历代钟离姓名人有：战国时齐宣王的王后钟离春（无盐），秦汉之际项羽的大将钟离昧，东汉时尚书钟离意，唐代道士、传说中"八仙"之一的钟离权，北宋仁宗时龙图阁待制钟离瑾等。

宇文姓源自鲜卑贵族宇文氏。传说鲜卑族的君长打猎时得到一块玉玺，上有皇帝字样，认为是天授。其族人称天子曰"宇"，于是就以宇文为姓。其家族后裔宇文泰北魏时为关西大都督，其子宇文觉建立北周。后世宇文姓名人有：隋代许国公宇文述和宇文述之子、大丞相宇文化及，宇文化及之弟、隋炀帝的女婿、唐初蒲州刺史宇文士及，北宋名士宇文之邵，金国翰林学士宇文虚中，元朝名士宇文公谅等。

长孙姓源自鲜卑贵族长孙氏。北魏道武帝的功臣、南部大人嵩被赐姓长孙氏，称长孙嵩，北魏明元帝时为"八公"之一，其后代即以长孙为姓。又一说是源自西汉时的长孙顺。《汉书·儒林传》记长孙顺师从王吉，被传授《诗经》学，其后代以长孙为姓。历代长孙姓名人有：隋朝大将军长孙晟，长孙晟之女、唐太宗的皇后长孙后，长孙晟之子、唐初宰相长孙无忌，唐德宗时诗人长孙佐辅等。

慕容氏源自鲜卑贵族慕容氏。十六国时，鲜卑族慕容氏很强盛，先后建立前燕、后燕、南燕、西燕四个政权，这一部族在同汉民族融合后被汉化，就以慕容为姓，或者单姓慕。历代慕容姓名人有：北齐开府仪同三司慕容俨，北宋初检校太尉慕容延钊及其子、颍州团练使慕容德丰等。

鲜于　闾丘　　司徒　司空

鲜于姓源自商代子姓。邓名世《古今姓氏书辨证》记云："周武王封箕子于朝鲜，支子仲食采于'于'，子孙因合鲜于为氏。"历代鲜于姓名人有：东汉末被曹操拜为度辽将军的鲜于辅，唐玄宗时剑南节度使鲜于仲通和鲜于仲通之弟、东川节度使鲜于叔明（李叔明），鲜于叔明的后裔、北宋时官至集贤殿修撰的鲜于侁，元代曾官太常寺典簿的书画家、《困学斋杂录》的作者鲜于枢等。

闾丘源自姜姓。春秋时齐国公族大夫名婴者居住于闾丘（在今山东邹县境内），史称闾丘婴，其后代以闾丘为姓。历代闾丘姓名人有：唐代武则天时曾官博士的闾丘均，唐玄宗时曾官濠州刺史的闾丘晓，唐昭宗时方士闾丘方远，北宋时苏州名士、被苏轼称赞为"不到虎丘，则到闾丘"的闾丘孝终，北宋末至南宋初官至武翼大夫的闾丘观等。

司徒姓源自帝舜。舜在尧时任司徒一职，舜的后裔中有人以司徒为姓。又周代有官名司徒，其后代也以司徒为姓。历代司徒姓名人有：五代后汉礼部侍郎司徒诩，唐代文宗时官至太常卿的司徒映，明代曾官辽阳卫参军的司徒化邦等。

司空姓源自大禹。禹曾在尧时任司空一职，禹的后裔中有人以司空为姓。又周代有官名司空，其后代也以司空为姓。历代司空姓名人有：唐代诗人、"大历十才子"之一的司空曙，唐代末年礼部郎中、《诗品》作者司空图，五代后梁时太府少卿、至后唐时被杀的司空颋等。

丌官　司寇　　仉　督　子车

丌官姓源自古代的掌笄之官。笄字有象形字写作"丌"或

"亓"，其后代便以丌官为姓，或单姓亓。历代丌官姓或亓姓者很少，今知孔子的夫人即丌官氏之女，而单姓亓者有明末天启时官至河南巡抚的亓诗教，天启时进士、曾官河间知府的亓之伟等。

司寇姓源自周朝曾担任主管司法的"司寇"之官，如西周初苏忿生曾官司寇，卫国的卫康叔也担任过司寇，卫灵公的儿子郢也在卫国当过司寇，他们的后代以司寇为姓。春秋以后，姓司寇者名人很罕见。

仉为单姓，源自姬姓。春秋时鲁国公族有党氏，或作掌氏，又写作仉氏，仉与掌实为同一姓。历代仉姓者名人较少，今知有战国时孟子的母亲仉氏，明初河南道御史仉经等，以"掌"为姓者有北宋英宗时尚书工部侍郎掌禹锡等。

督姓源自宋国子姓。春秋时宋国有公族大夫华督，其后代有人以督为姓。又一说是古时有地名督亢（今河北涿县），此地居民有人以督为姓。历代督姓者名人很罕见。

子车姓源自嬴姓。周代秦国有子车氏，其后代以子车为姓。春秋秦穆公时有子车奄息、子车仲行、子车鍼虎，并称为"三良"，秦穆公死时以三良殉葬，《诗经·秦风·黄鸟》之诗即咏此事。后世姓子车者名人很罕见。

颛孙　端木　巫马　公西

颛孙姓源自陈国的妫姓。春秋时陈国有公子颛孙，其后代以颛孙为姓。后世颛孙姓者很少，今知有孔子的弟子颛孙师（子张）等。

端木姓源自姬姓。春秋时孔子的学生端木赐是卫国公族，其后代以端木为姓。后世端木姓名人有：端木赐的后代、战国时散财济人之困的端木叔，清代道光时官至内阁中书的学者端木国瑚，清末同治年间侍读端木埰，当代有作家端木蕻良等。

巫马姓源自周代负责养马及为马医病的官员，其后代以巫马为姓。历代姓巫马者名人罕见，今知有孔子的学生巫马施（子期）等。

公西姓源自姬姓。春秋时鲁国公族季孙氏有支系公西氏，其后代以公西为姓，如孔子的学生公西赤（子华）、公西舆如（子上）等，此后姓公西者名人很罕见。

漆雕　乐正　壤驷　公良

漆雕源自姬姓。春秋时，吴国的君主有漆雕氏，其后代以漆雕为姓。姓漆雕者很少，今知孔子的弟子有漆雕开（子若）、漆雕徒父（子文，一云子期）、漆雕哆（子敛），春秋以后罕见有姓漆雕者名人。

乐正姓源自周代王室中专门管理乐队的职官。担任此职的人，其后代中有人以乐正为姓。历代乐正姓名人有：春秋时鲁国孟献子的朋友乐正裘，曾子的弟子乐正子春，战国时孟子的弟子、被孟子称为"善人也，信人也"的乐正克，北宋时方士乐正子长等。

壤驷姓源自孔子弟子壤驷赤（子徒），其后代以壤驷为姓。除壤驷赤之外，后世未再见有姓壤驷的名人。

公良姓源自陈国妫姓。春秋时陈国有公子良，其后代以公良为姓。孔子的弟子有公良儒，此外罕见姓公良者名人。

拓跋　夹谷　宰父　榖梁

拓跋是北魏皇族鲜卑拓跋氏的姓氏。《魏书》中的解释是：黄帝之子昌意的少子悃受封于北土，黄帝谓土德王，北俗谓土为拓，谓后为跋，故以拓跋为姓。史籍所记载的拓跋姓的名人多是北魏时期拓跋氏一族的名人，自从北魏孝文帝下令拓跋氏改姓元氏之后，后世姓拓跋者名人就变得异常罕见。北宋时期北方党项族中出现一些姓拓跋者，也都是北魏时期鲜卑族的后裔。

夹谷是建立金国的女真族的姓氏。女真族有加古部，汉语音译或者写作"夹谷",其部族及后代就以夹谷为姓。《金史》中有一些姓夹谷的人,此外罕见有姓夹谷者。

宰父源自孔子的弟子宰父黑,其后代以宰父为姓。除宰父黑之外,后世未再见有姓宰父的名人。

穀梁姓源自地名。古时山东博陵有穀梁城,其地有人即以穀梁为姓。一说是源自农作物的崇拜意识,据此则穀梁当作"穀粱"。后世姓穀梁者很少,今知春秋时有子夏的弟子、《春秋穀梁传》的作者穀梁赤,此外未再见有姓穀梁者名人。

晋 楚 闫 法 汝 鄢 涂 钦

晋姓源自姬姓。晋国国君是周朝宗室,晋国王室的后裔中有人以晋为姓。历代晋姓名人有:战国末期魏国大将晋鄙,晋代尚书郎晋灼,南宋初房州知州晋鹭,明末曾官西城兵马司副指挥的晋爵及其子、曾官光禄寺署丞的晋臣,明末学者晋国柱等。

楚姓源自芈姓。楚国始祖是黄帝有熊氏的后裔,其后裔中多为姓荆姓熊者,也有以楚为姓者。历代楚姓名人有:北宋初枢密使楚昭辅,北宋时官至尚书工部员外郎的方士楚芝兰,元代东征日本的将军楚鼎,明初洪武时指挥使楚智,明末户部主事楚烟等。

闫姓源自姬姓,是阎姓的一个分支,将"阎"别写为"闫"。历代阎姓者多数写作"阎",只有少数写作"闫",当代则较多地写作"闫",较少写作"阎"。这两个阎姓早有混淆,难以分清。

法姓源自妫姓,与田姓同祖。战国时齐襄王法章的后代中,本是以田为姓,秦灭齐国之后有些人避难不敢明言姓田,就改姓法。历代法姓名人有:东汉时曾官南郡太守的法雄及其子名士法真,三国蜀汉尚书令法正,清代康熙时曾官江南布政使的画家法若真,清代乾隆时曾官大理评事的学者法坤宏等。

汝姓源自姬姓。周文王的小儿子受封于汝川(今河南汝州),其后代以汝为姓。历代汝姓名人有：东汉时鲁相汝郁，南宋初曾出使金国的汝为，明代中期曾官汀州知府的汝讷，当代有社会科学理论家汝信等。

鄢姓源自祝融氏。祝融氏的后裔在西周初被封于鄢（在今河南鄢陵），历代鄢姓名人有：明代正德时曾官定安县令的鄢高，鄢高之子、嘉靖时曾官左副都御史、严嵩的党羽鄢懋卿，嘉靖时官剑州知州的鄢桂枝等。

涂姓源自河流名。古代长江的支流有涂河，也写作滁河，在今江苏六合等地，在这条河旁居住者就有人以涂为姓。历代涂姓名人有：南宋初进士涂大经，明代成化时御史涂棐，万历时光禄少卿涂杰，清代康熙时工部尚书涂天相，清末光绪时湖广总督涂宗瀛等。

钦姓源自汉魏时北方少数民族乌桓。乌桓贵族首领以钦为氏，其后代被汉化的族人就以钦为姓。历代钦姓名人有：南宋末名士、宋亡后不肯投降元朝的钦德戴，明代万历时诗人钦叔阳，清代诗人钦善等。

段干　百里　东郭　南门

段干姓源自老子之子。《史记》记载，老子之子名宗，在魏国为将，被封于段，后又改封于干，其后代就以段干为姓。历代姓段干者最有名的是春秋时魏国的段干木，魏文侯听说他的贤德而亲自去访问他，他逾墙躲避。后世姓段干者名人很罕见。

百里姓源自春秋时秦国宰相百里奚。百里奚本名井伯，虞国人，到秦国做官后被封百里之地，于是称百里奚，其后代以百里为姓。历代百里姓名人除百里奚之外，有汉代徐州刺史百里嵩等。

东郭姓源自姜姓。"郭"的本义是外城，春秋时齐国的公族有一支居住在都城的东郭，其后代就以东郭为姓。历代东郭姓名人有：春秋时齐国敢于直谏的名臣东郭牙，战国时魏国名士东郭顺子，东汉时术士东郭延年。

南门姓渊源不详，或以为是远古时居住于城南门者以及看守南门之官，其后代以南门为姓。历代姓南门者名人很罕见，今知商汤的七位辅佐大臣中有一位南门蝡。

呼延 归 海 羊舌 微生

呼延姓源自汉代北方匈奴族的呼衍氏，他们迁居内地汉化之后，其后代就改"呼衍"为"呼延"，以此为姓。后来鲜卑族中也有姓呼延者。历代呼延姓名人有：十六国时前赵曾官太守的呼延谟，北宋初勇将、曾官康州团练使的呼延赞等。

归姓是单字姓，源自春秋时的古国胡子国，为归姓之国，后为楚国所灭，其国人后代以归为姓。历代归姓名人有：唐代中期兵部尚书归崇敬，归崇敬之子、唐宪宗时兵部尚书归登，归登之子、唐文宗时翰林学士归融，明代嘉庆、隆庆间曾官至南京太仆寺丞的文学家归有光，明末曾官刑部主事、入清隐居不出的归起先，归起先之子、清代康熙年间状元、官至少詹事的归允肃，清代嘉庆时被称为诗、书、画三绝的才女归懋仪等。

海姓源自姬姓。春秋时卫灵公有大臣海春，其后代以海为姓。历代海姓名人有：唐代名士、《草经》的作者海鹏，明初曾任安化知县的海源善，明代嘉靖时名臣、官至南京右都御史的海瑞等。

羊舌姓源自姬姓。西周时晋靖侯的后裔食采于羊舌邑，其后代以羊为姓。又见杜预《左氏释例》云："羊舌氏姓李名果。有人盗杀羊而遗其头，受而埋之。后盗事发，掘示之，羊舌尚存，因得免，遂以为氏。"这一说法可作参考。历代羊舌姓名人有：春秋时晋国大夫羊舌职，羊舌职之子、晋国中军尉羊舌赤以及文臣羊舌肸、羊舌虎、羊舌鲋等，春秋以后羊舌姓名人很罕见。

微生源自姬姓。春秋时鲁国公族有微生氏，其后代以微生为姓。

历代姓微生者很罕见,今知春秋时鲁国有名士微生高、隐士微生亩等。

岳　帅　缑　亢　况　后　有　琴

岳姓源自官职名。尧舜时有分掌四方诸侯的官职名"四岳",其后代以岳为姓。历代岳姓名人有:南宋初抗金名将、后封为鄂王的岳飞,岳飞之子岳云、岳雷、岳霖、岳震,岳霖之子、《桯史》的作者岳珂,元代戏曲作家岳伯川,清初四川提督岳升龙,岳升龙之子、雍正时宁远大将军、兵部尚书岳钟琪等。

帅姓原为师姓,晋代时因避景帝司马师之讳而改为帅。历代帅姓名人有:北宋哲宗时进士、督理江南茶税的帅范,明代万历年间官南京比部郎中、汤显祖的好友帅机,清代康熙时工书善画又精医道的学者帅我,帅我之子、同样通晓诗文与医道的帅仍祖和帅光祖,清代乾隆时官至陕西布政使、参与撰修《清一统志》的学者帅念祖,当代有无产阶级革命家、妇女运动领导人帅孟奇等。

缑姓源自姬姓。周代有卿士食采于缑(在今河南偃师东南缑氏镇一带),其后代以缑为姓。历代缑姓名人有:唐代传说入九嶷山成仙的道姑缑仙姑,明代成化时官至南京右通政的缑谦等。

亢姓源自姬姓。春秋时卫国有公族大夫三伉,其封地在亢父(在今山东济宁),其后代以伉为姓并改为"亢"。历代亢姓名人有:明代正德年间旌表的孝子亢良玉,清代文士亢树滋等。

况姓之"况"原为"况",源自三国时蜀汉名士况长宁,其后代将"况"或写作"况"。明代时又有黄姓改为况姓者,如著名清官、苏州知府况钟原来即是姓黄。其他况姓名人有:元代时曾官高安县令的况逵,明永乐年间官至广东参政的况文,明代正统年间曾官福建按察佥事的况真,清代光绪年间名列"清末四大家"的词人况周颐等。

后姓(这里是皇后的"后"字)源自炎帝的后裔共工。共工有子名句龙，黄帝时担任后土之职，其后代以后为姓。又一说是源自姬姓。春秋时鲁孝公的儿子公子巩被封于郈，史称郈惠伯，其后代以郈为姓，后来将"郈"字去掉偏旁为后姓。还有一说是源自太史氏。战国时齐国太史敫的女儿是齐襄王法章的王后，其家族被襄王赐姓后氏，其家族的后代就以后为姓。历代后姓名人有：春秋时孔子弟子后处，西汉时经学博士后苍，明代宣德年间镇守西南的将军后能等。

有姓源自上古时的有巢氏，其后代有人以"有"为姓。古代还有一些复姓，如有山、有仍、有扈、有莘、有穷、有蟜等，他们的后代也或许有姓"有"者。历代姓有者名人很罕见，今知有春秋时孔子的弟子有若（子有）等。

琴姓源自古代以弹琴为职业者，如商周时期的琴师，其后代以琴为姓。一说是孔子的弟子琴牢的后代，以琴为姓。历代琴姓名人有：战国时赵国的鼓琴名师琴高，明代永乐年间曾署茶笼州事的琴彭等。

梁丘　左丘　东门　西门

梁丘是复姓，源自地名。春秋时齐国有大夫据，食邑于梁丘（在今山东成武），史称梁丘据，其后代以梁丘为姓。历代姓梁丘者名人较少，今知有西汉时《易》学名家、曾官至少府的梁丘贺，梁丘贺之子、亦官至少府的梁丘临等。

左丘姓源自地名。春秋时齐国都城临淄（今山东淄博临淄区）有地名为左丘，在这里居住的人便以左丘为姓。鲁国史官、《左传》的作者左丘明即住在左丘，其后代也姓左丘。

东门姓源自姬姓。春秋时鲁庄公的儿子遂，因居住在曲阜的东门，称为东门襄仲，其后代以东门为姓。历代东门姓名人有：春秋时鲁国大夫、东门遂之子东门归父，西汉时曾官荆州刺史的东门云，汉武帝时善于相马的东门京等。

西门姓源自地名。春秋时郑国大夫居住在国都西门，其后代以西门为姓。历代西门姓名人有：战国魏文侯时任邺令的西门豹，西汉末王莽时道士西门君惠，唐代懿宗时神策军中尉西门季玄。

商 牟 佘 佴　伯 赏 南宫

商姓源自商朝子姓。武王灭商之后，殷商的后裔中有人以商为姓。此外，战国时卫国人公孙鞅在秦国做官，称为商鞅，其后代以商为姓。历代商姓名人有：春秋时孔子弟子商泽（子秀），元代参知政事商挺和商挺之子、监察御史商琥、秘书卿商琦，明代正统年间状元、官至大学士的商辂和商辂之子、翰林侍讲商良臣，明末女诗人、祁彪佳之妻商景兰，清代乾隆时官至顺宁知府的商盘，现当代有国民党将领商震、古文字学家商承祚等。

牟姓源自远古时的祝融氏。春秋时，祝融氏的后裔受封建立牟子国（在今山东莱芜东），其后代以牟为姓。历代牟姓名人有：西汉时博士牟卿，东汉时官至太尉的经学家牟融，牟融之子、太尉掾史牟麟，北宋真宗时翰林待诏牟谷，南宋末官至大理少卿的学者牟巘，牟巘之子、宋亡入元不仕的学者牟应龙，明代永乐时进士、官至监察御史的牟伦，明景泰时进士、官至副都御史的牟俸等。

佘姓是古时候从余姓转化而来。张澍《姓氏寻源》说："古有余无佘，余之转音为禅遮切，音蛇，今人妄作佘。"此说可作参考。历代佘姓名人有：明初功臣、福建都指挥佥事佘隆，明代嘉靖时官至南康知府的佘应桂，明代万历时文士、戏曲作家佘翘，清代画家佘熙璋、佘观国父子，文学及戏曲中的著名人物是杨家将故事中杨令公的夫人佘太君。

佴姓起源未详。历代此姓很罕见，郑樵《通志·氏族略》谓晋山公集中有名佴湛者。

伯姓源自嬴姓。辅佐大禹治水的东夷首领伯益，其后代以伯为姓。一说是源自殷商末年孤竹君的长子伯夷，其后代以伯为姓。历代伯姓名人有：春秋时晋国大夫伯宗，楚国宗族、楚康王时太宰伯州犁，吴国太宰伯嚭等。

赏姓源自春秋时吴国望族。何承天《姓苑》云："吴中八姓有赏氏。"另外，北宋时期西夏国也有赏氏，当是西北地区少数民族的姓氏，他们入居内地之后也汉化成为赏姓。

南宫姓源自周文王时的"八士"之一的南宫氏，其中南宫括参与伐纣有功。此外，春秋时宋国公族名阅者居住在南宫，称为南宫阅，其后代以南宫为姓。历代南宫姓名人有：春秋时宋闵公时大夫南宫长万，宋代学者南宫靖一（坡山主人）等。

墨 哈 谯 笪　年 爱 阳 佟

墨姓源自商代孤竹君墨胎氏，其后代以墨胎为复姓，也有人单姓墨。又一说是春秋时宋成公之子墨台的后代以墨为姓。历代墨姓名人有：春秋时思想家墨翟，明初洪武时监察御史、永乐时官至少詹事的墨麟等。复姓墨胎者有墨胎允（伯夷）、墨胎智（叔齐）等。

哈姓是古代西北地区少数民族的姓氏，如北宋及元代西北的布哈拉王族，迁居内地之后其后裔以哈为姓。历代哈姓名人有：清代乾隆时扬威将军哈元生，哈元生之子、古州镇总兵哈尚德，乾隆时武进士、贵州提督哈攀龙，哈攀龙之子、乾隆时武进士、西安提督哈国兴等。

谯姓源自姬姓。西周初周文王之子召公奭有儿子名盛，受封为谯侯（在今四川境内），其后代以谯为姓。历代谯姓名人有：西汉末经学家谯玄，三国蜀汉任光禄大夫的大儒谯周，东晋末曾自称成都王的谯纵，北宋理学家谯定，明代中期名士谯谟等。

笪姓起源未详。何承天《姓苑》云，笪读 dá，建州多此姓。又一说是，笪读 dà，句容多此姓。历代笪姓者名人很罕见，今知有清代康熙时官至御史的书画家笪重光等。

年姓源自姜姓。齐国始祖齐太公的后裔中有一支为年氏，其后代以年为姓。又一说是明代时姓严者讹传为年姓，就将错就错改姓年，如明代官至户部尚书的年富原来就是姓严（见《明史·年富传》）。历代年姓名人有：清代康熙时湖广巡抚年遐龄，年遐龄之长子、官至工部右侍郎的年希尧，年遐龄的次子、雍正时大将军年羹尧，清代画家年汝邻等。

爱姓是古代西北地区少数民族的姓氏，如唐代的回鹘族及后来金国的女真族都有此姓，他们迁居内地之后汉化，就以爱为姓。历代姓爱者名人很罕见。

阳姓源自姬姓。西周景王封其少子于阳樊（在今河南济源阳邑），其后代以阳为姓。又一说是，春秋周惠王时齐人迁居阳地（在今山东境内），其后代以阳为姓。历代阳姓名人有：春秋时鲁国季氏家臣阳虎（即阳货），北魏曾官国子祭酒的学者阳尼和阳尼从孙、北魏太学博士阳承庆，阳承庆从弟、北魏前军将军阳固，阳固之子、北齐吏部尚书、文学家阳休之，阳休之四世孙、唐代中期官至国子祭酒的阳峤，唐德宗时谏议大夫阳城，明末书法家阳镇，现当代有作家阳翰笙等。

佟姓源自夏代的终古氏。夏代末年，终古氏归商，其后代以佟为姓。又一说是清初时满族有佟佳氏，居住内地之后就汉化为佟姓。历代佟姓名人有：明末时东北满清将领佟养正，佟养正之弟、将领佟养性，宣大总督佟养量，两广总督佟养甲，以及佟养性的孙辈佟国瑶、佟国印、佟国正、佟凤彩等，现当代有抗日英雄、在芦沟桥抵抗日本侵略军的国民革命军第十九路军副军长佟麟阁等。

第五　言　福　百家姓终

第五是复姓，源自田姓。西汉初年，汉高祖刘邦把齐国田氏宗族迁移到关中地区，诸支分列为第一至第八，其中第五支的后代即以第五为姓。历代姓第五者有：东汉时官至司空的第五伦，第五伦之子、庐江太守第五颉，第五伦的玄孙、兖州刺史第五种，唐代中期朗州刺史第五琦及其子台州刺史第五峰，宋代新州知州第五充衡，元代学者第五居仁等。

言姓源自孔子的弟子言偃，其后代以言为姓。历代言姓名人有：明代成化年间进士、曾官广平知府的言芳，清代道光年间名士、著有《琴源山房文集》的言友询，现当代有京剧表演艺术家言菊朋及其女儿言慧珠等。

福姓源自春秋时齐国大夫福子丹，其后代以福为姓。又一说是古代百济国有福姓，他们到中国居住就以福为姓，如唐朝时的福富顺。历代福姓者名人很罕见。明代嘉靖时有官漕运参将的福时，他本来姓张，世宗皇帝曾说"清不过福时，勇不过马芳"，赐之手敕也常称其名而不称姓，于是他就改为姓福。

"百家姓终"是全书的结语，不是列举姓氏。有的版本的《百家姓》中，末尾之句为"百家姓续"。

千字文

天地玄黄① 宇宙洪荒②

[注释]

①玄：苍黑色。黄：黄褐色。古代以玄黄指天地的颜色。《易·坤文言》云："夫玄黄者，天地之杂也，天玄而地黄。"②宇宙：本意指屋檐和房梁，《淮南子·览冥训》云："凤凰之翔，至德也……而燕雀佼之，以为不能与之争于宇宙之间。"这里的"宇宙"一词，即指房舍檐梁之间的狭小范围。其引申意义则指天地太空广阔无际的领域和从远古至今后无始无终的时间。《淮南子·齐俗论》云："故天之圆也不得规，地之方也不得矩，往古来今谓之宙，四方上下谓之宇。"《尸子》中也说："天地四方曰宇，往古来今曰宙。"洪：洪大；荒：广漠。"洪荒"一词，指天地初开时的混沌蒙昧的情形。古代人们认为，天地未开时是混沌一片，轻而上浮而为天，重而下沉而为地；乾坤初开的时候是洪荒世界，草木及万物都是后来才出现的。

[译文]

远古初期天地生成，天色青黑，地色浑黄。宏阔浩茫的宇宙中，形成了原始的洪荒时代。

日月盈昃① 辰宿列张②

[注释]

①盈:圆满。昃:太阳偏西。合成一句是指日出日落,月圆月缺,即时光的流逝永不停息之意。②辰宿:天上的星辰和星宿。列张:排列与分布。

[译文]

一天当中有白天黑夜,太阳有升有落,月亮有圆有缺。闪烁灿烂的星星组成各种星座,排列在天幕上。

寒来暑往① 秋收冬藏②

[注释]

①寒来暑往:指一年当中四季的变化,时序循环更替,岁月则周而复始地变迁。《易·系辞下》云:"寒往则暑来,暑往则寒来,寒暑相推,而岁成焉。"②秋收冬藏:指一年当中人们的农事活动。秋天时,许多庄稼成熟了,人们要进行收获。冬天时天冷无农活,已经收获的粮食和果菜等要贮藏起来,供日常生活需要。

[译文]

一年当中有春夏秋冬四季,暑天过去,寒冷到来。秋天是收获的季节,冬天要妥善加以贮藏。

闰馀成岁① 律吕调阳②

[注释]

①闰馀:古代的天文学名词。意思是,中国的阴历(即夏历,也叫农历)的一年十二个月共计350多天,而实际上一年为365天,两者所差的天数称为闰馀。《史记·历书》中说:"盖黄帝考定星历,建立五行,起消息,正闰馀。"所谓正闰馀,就是把每年的闰馀积累起来,三年左右加一个闰月,以此使阴历的年份与实际的四季变化的年份大体吻合,即是闰馀成岁。②律吕:

古代乐律的总称。乐律共有十二律，阳六阴六，阳称为律，阴称为吕，十二律对应着一年中的十二个月。阴阳调和，律吕谐协，才能奏出美妙的乐曲。

[译文]

调整一年中因闰月而多出的日子，确定阴历的一年的天数，由此制定出全国通行的历法。和阴历的十二个月份相对应，制定出古代乐律的十二律，阴阳调和，形成美妙的乐章。

云腾致雨① 露结为霜②

[注释]

①腾：指云雾上升飞腾。致：达到，这里是形成之意。全句指云雾升到高空密集凝聚而形成了雨。②露结为霜：古代人们认为，在天气寒冷的时候，露水就凝结为霜。如《诗经·秦风·蒹葭》篇中说"白露为霜"，即是此意。

[译文]

云雾升腾，形成降雨。露水冷凝，形成白霜。

金生丽水① 玉出昆冈②

[注释]

①金：作为五行水火木金土之一的"金"泛指金属，而这里专指黄金。古代人们认为，荆州之南有条河叫丽水，水中出产黄金。《韩非子·内储说上》云："荆南之地，丽水之中生金，人多窃采金。"②昆冈：即昆仑山，古代人们认为，那里盛产美玉。如《尚书·胤征》云："火炎昆冈，玉石俱焚。"

[译文]

古代传说，荆州之南的丽水，盛产黄金；昆仑山上，盛产美玉。

剑号巨阙① 珠称夜光②

[注释]

①巨阙：春秋时期越王允常命铸剑名师欧冶造成五把宝剑，其中一把名为巨阙。后来也用巨阙泛指一般的宝剑。②夜光：能够在黑夜发光的宝珠。干宝《搜神记》中记隋侯救蛇而获得的蛇报答的一颗珍珠就是夜光珠。

[译文]

古代最著名的宝剑之一，号为"巨阙"；古代最著名的宝珠，是隋侯的夜光珠。

果珍李柰①　菜重芥姜②

[注释]

①果珍：水果中的珍品。李：即李子。柰：一种水果，也称花红或沙果。②菜：蔬菜。芥：其种子可制芥末，是一种辛辣的调味品。姜：即生姜。古代人们早就食用芥和姜这两种调味品，并且认为它们对于人体有多种益处。

[译文]

水果中的珍品是李子和柰，蔬菜中最应看重的是芥和姜。

海咸河淡①　鳞潜羽翔②

[注释]

①海：这里指海水。河：这里指河水。②鳞：本来是指鱼类身上的鳞片，这里指鱼类。潜：潜藏，指鱼在水中生活。羽：本义是羽毛，这里用来指鸟类。

[译文]

海水味咸，河水味淡。鱼类潜游于水中，鸟类翱翔于天空。

龙师火帝①　鸟官人皇②

[注释]

①龙师：指伏羲。传说伏羲时有龙马负图从黄河水中跃出，于是以龙命

名百官，称春官（掌管礼制）为青龙氏，夏官（掌管政典）为赤龙氏，秋官（掌管刑律）为白龙氏，冬官（掌管百工）为黑龙氏，因此称伏羲为龙师。火帝：指炎帝。传说炎帝有火瑞，他以火命名百官，称春官为大火，夏官为鹑火，秋官为西火，冬官为北火，因此称炎帝为火帝。②鸟官：指少昊。人皇：远古时的三皇之一。关于三皇，古代有不同的说法。汉代孔安国的《尚书序》和皇甫谧的《帝王世纪》谓伏羲、神农、黄帝为三皇，《艺文类聚》卷十一引《春秋纬》说天皇、地皇、人皇为三皇。这里的人皇指黄帝。

[译文]

伏羲称为龙师，炎帝称为火帝，少昊称为鸟官，黄帝称为人皇。这四位是中华民族的始祖。

始制文字^①　乃服衣裳^②

[注释]

①始制文字：开始制作文字。传说伏羲时代已经出现原始文字，到黄帝时又让仓颉发明了文字，使中华文字开始规范化。②乃服衣裳：开始缝制衣裳，进入文明时代。传说黄帝时代黄帝的元妃嫘祖教人们养蚕抽丝、织布制衣，结束了原来穿兽皮、树叶的时代。衣裳，古时候人们称上身穿的为衣，下身穿的为裳。

[译文]

伏羲时代，开始制造出文字；黄帝时代，开始学会纺纱织布、缝制衣服。

推位让国^①　有虞陶唐^②

[注释]

①位：指君主之位。国：指国家政权。远古时期，掌管天下权力的君主是民众推举出来的，因为责任重大，被推举者总是互相谦让。②有虞：即舜。舜被封在虞地，称有虞氏。陶唐：即尧，尧开始封于陶，后来封于唐，故称陶

千字文　173

唐氏。

[译文]

上古时期，管理万民的首领是民众推举出来的贤能之人，他们对于国君之位互相推让。陶唐氏尧，有虞氏舜，就是这样的贤能帝王。

吊民伐罪[①]　周发殷汤[②]

[注释]

①吊民：安抚慰劳百姓。伐罪：讨伐有罪恶的人。古代早有"吊民伐罪"一词，如《宋书·索虏传》云："吊民伐罪，积后己之情。"有时也说成"伐罪吊民"。②周发：周武王姬发，他讨伐殷纣王，灭掉了商朝。殷汤：商朝的开国君主成汤，他讨伐夏桀，灭掉了夏朝。这两位都是吊民伐罪的典型代表者。

[译文]

汤灭掉夏桀，建立商朝，武王灭掉殷纣王，建立周朝。他们举的旗帜，都是安抚慰劳百姓、讨伐有罪的暴君。

坐朝问道[①]　垂拱平章[②]

[注释]

①坐朝：指君王在朝堂处理政务。问道：询问治国之道。②垂拱：垂衣拱手，意为彬彬有礼。《尚书·武成》中云："垂拱而天下治。"平章：商量处理政事。唐代设尚书、中书、门下三省长官为宰相，又有同中书门下平章事的职官予以协办，元代亦设平章，相当于副宰相。这里以平章一词指君王身边的近臣，辅佐君王处置朝廷大事。

[译文]

君王高坐朝堂，与大臣商讨治国之道，制定礼仪，讲求德化，把天下治理得国泰民安，太平祥和。

爱育黎首① 臣伏戎羌②

[注释]

①爱育：爱护与教育。黎首：即百姓。②戎羌：戎族和羌族，也以此泛指中国边远地区的各少数民族。臣伏戎羌，是使动句式，使戎羌臣服之意。

[译文]

君主爱护并教育国内黎民百姓，也会使边远地区的异族归顺臣服。

遐迩一体① 率宾归王②

[注释]

①遐：远。迩：近。这里是对于京城来说，边远地方的异族民众和内地的百姓。一体：或作壹体，融合为一的意思。②率：全部。宾：臣服。归王：即归顺中央朝廷。《诗经·小雅·北山》中说"率土之滨，莫非王臣"，即是率宾归王之意。

[译文]

边远地区的异族同内地的民众能够紧密团结，融为一体。这样，天下也就都能归顺有道的君主了。

鸣凤在竹① 白驹食场②

[注释]

①鸣凤在竹：凤凰在竹林里鸣唱。以此指祥瑞出现，象征着平安与福祉。②白驹食场：小白马驹在草场上吃草。《诗经·小雅·白驹》云："皎皎白驹，食我场苗。"以此指安静祥和的场景。

[译文]

凤凰在竹林鸣唱，白马在草场食草，这都是国家安定、社会祥和的象征。

化被草木① 赖及万方②

[注释]

①化：指君王的仁德教化。被：覆盖，即恩泽普施之意。草木：即一草一木，泛指天下万物。②赖：依靠，凭借，《尚书·大禹谟》中有"万世永赖"一句。万方：全国的各个地方，这里是指让万民有所依靠。

[译文]

贤明君主的德政与教化，就像阳光雨露一样，滋润着天下万物。他们的恩泽传播远近，能够使天下每一个地方的百姓都感到有所依靠。

盖此身发① 四大五常②

[注释]

①盖：发语词，无实义。身发：身体和身上的毛发。②四大：即佛教所谓地、水、火、风。《圆觉经》云："此身四大和合。发毛爪齿，皮肉筋骨，髓脑垢色，皆归于地；唾涕脓血，津液涎沫，痰泪精气，大小便利，皆归于水；暖气归火；动转归风。"这是从物质的层面来说，构成人的身体有四种基本物质。五常：即儒家所倡导的仁、义、礼、智、信。这是从精神的层面来说，为人在世要具备五种重要的品质。

[译文]

人的身体和毛发，都是由地、水、火、风这"四大"物质构成。由于天理和人伦相对应，每个人都应当遵循仁、义、礼、智、信这"五常"所规定的道德标准。

恭惟鞠养① 岂敢毁伤②

[注释]

①恭惟：以恭恭敬敬的态度对待。鞠养：抚育，养育。②岂敢毁伤：出

自《孝经·开宗明义章》："身体发肤，受之父母，不敢毁伤，孝之始也。"意思是自己的身体与皮毛，都是父母给予的，不能有任何毁伤。

[译文]

要经常恭敬地想着自己的身体是父母生育抚养的，因此，对于身体每个部分，都不能有一丝一毫的损伤。

女慕贞洁① 男效才良②

[注释]

①慕：思慕，向往。贞洁：女子的节操。②效：效法，学习。才良：才能与品德。

[译文]

生为女子，要思慕节操贞洁的淑女。生为男子，要效法德才兼备的良士。

知过必改① 得能莫忘②

[注释]

①过：过失，过错。知过必改，是为人应具备的重要品格。《论语·学而》中说："过，则勿惮改。"②能：能力，才能。这里说"得能莫忘"，虽然没有明言不要忘记的是什么，实际上是指一个人在社会中应该担负的责任。

[译文]

认识到自己的过错，一定要改正。有了一定的能力，不要忘记自己的责任。

罔谈彼短① 靡恃己长②

[注释]

①罔：不要。②恃：倚仗，也可引申为炫耀。

[译文]

不要私下里谈论别人的缺点,不要到处炫耀自己的长处。

信使可覆① 器欲难量②

[注释]

①信:人的诚信的品质。覆:审察,检验。②器:人的气度、涵养。量:测度、衡量。

[译文]

处事要坚守诚信,经得起检验。为人要胸怀宽广,有容人的器量。

墨悲丝染① 诗赞羔羊②

[注释]

①墨:即春秋时思想家墨翟,又称墨子。墨悲丝染,是说墨子见到白丝染色,就悲叹于为人而容易受到污染。《墨子·所染》一篇云:"染于苍则苍,染于黄则黄,不可不慎也。"②诗:即《诗经》。诗赞羔羊,指《诗经·国风·召南·羔羊》一篇中对羔羊的赞美。其中写道:"羔羊有皮,素丝五纰。"意思是说羔羊的毛皮洁白可爱,像白丝一样。

[译文]

墨子见到洁白的蚕丝被染色而悲伤,《诗经》中对于羔羊毛皮的洁白加以赞颂。这是比喻人的品质也容易遭到污染,要保持高尚的道德是非常难得的。

景行维贤① 克念作圣②

[注释]

①景:景仰,仰慕。行:德行。《诗经·小雅·车辖》中说"高山仰止,景行行止",即是此意。维:虚词。贤:指贤良的人。②克:能够。克念,能

想到而且常想到。作圣：成为圣人。

[译文]

仰慕古代圣贤的道德品行并努力效法他们，在修身养性方面严格要求，经常想到要努力使自己达到圣贤的境界。

德建名立① 形端表正②

[注释]

①德：品德，指儒家的道德标准所认可的规范。名：名誉，声望。②形：形体，也指人的举止。表：仪表。

[译文]

道德建立，姓名就可以得到显扬；举止端正，做事就可以为人表率。

空谷传声① 虚堂习听②

[注释]

①空谷：空旷的山谷。《诗经·小雅·白驹》云："皎皎白驹，在彼空谷。"②虚堂：宽敞的厅堂。习听：聆听。

[译文]

空旷的山谷里传来回声，悠长而高远；宽敞的厅堂中人们说话，声音宏大而响亮。这是比喻德高望重的人，不必有意张扬，自然声名远播。

祸因恶积① 福缘善庆②

[注释]

①祸：灾祸。积：积累。②庆：奖赏、报偿。

[译文]

遭遇灾祸，是因为作恶太多而自食其果；安享福祉，是因为经常行善而得到报偿。

尺璧非宝① 寸阴是竞②

[注释]

①璧：美玉。②阴：光阴、时间。竞：争取。这句话出自《淮南子》卷一"原道训"，原文是："圣人不贵尺之璧，而重寸之阴，时难得而易失也。"

[译文]

一尺长的白玉算不上什么宝物，每一寸光阴才值得珍惜。

资父事君① 曰严与敬②

[注释]

①资：供养。事：侍奉。②严：恭谨。敬：尊敬。这句话出自《孝经·士章第五》，原文是："资于事父以事君，而敬同。"

[译文]

像孝敬父亲那样为国君效力，既要恭谨严肃，又要尊敬爱戴。

孝当竭力① 忠则尽命②

[注释]

①竭力：竭尽全力。②尽命：敢于献出生命。

[译文]

为父母尽孝要竭尽全力，为国君效力要能够舍命。

临深履薄① 夙兴温凊②

[注释]

①临深履薄：是"如临深渊，如履薄冰"一句话的缩语，此语出自《诗经·小雅·小旻》篇："战战兢兢，如临深渊，如履薄冰。"②夙：早晨。兴：起床。语出《诗经·国风·卫风·氓》："夙兴夜寐，靡有朝矣。"温：温暖。清：清凉。《礼记·曲礼》云："凡为人子之礼，冬温而夏清。"温与清在这里有使动词的意义，即使之温暖、使之清凉的意思。

[译文]

为国君效力要谨慎小心，像面临深渊和行走薄冰一样。侍奉父母要勤快周到，早起晚睡，使父母冬得温暖，夏得凉爽。

似兰斯馨① 如松之盛②

[注释]

①斯：指示代词，可解为"这"或"那"。②盛：茂盛、旺盛。

[译文]

正人君子为人处世，要像兰花那样香气芬芳，像青松那样挺拔茂盛。

川流不息① 渊澄取映②

[注释]

①川：河流。息：停止。《论语·子罕》篇云："子在川上曰：逝者如斯夫，不舍昼夜。"②渊澄：潭水澄澈。取映：可以用来像镜子一样照出人的容貌。

[译文]

保持高尚美好的品德，要像河水那样奔流不息；树立光明磊落的风范，要像潭水那样澄澈照人。

容止若思① 言辞安定②

[注释]

①容止：容貌举止。若思：好像在思考问题似的。②言辞安定：言谈稳妥安详。这句话出自《礼记·曲礼上》："毋不敬，俨若思，安定辞。"

[译文]

人的容颜表情及行为动作要端庄稳重，像是在思考问题那样。人的言谈话语要舒缓安详，娴雅温和。

笃初诚美① 慎终宜令②

[注释]

①笃初：良好的开端。诚美：实在是很好的。②慎终：结束时更要特别谨慎。宜：应当。令：美好。中国古代人们的观念主张善始善终，儒家经典著作有不少这一类论述。《尚书·太甲下》中云："慎终于始。"《诗经·大雅·荡》云："靡不有初，鲜克有终。"

[译文]

人们或修身，或求学，或做事，既要有一个良好的开端，又要有一个圆满的结局，应当做到善始善终。

荣业所基① 籍甚无竟②

[注释]

①荣业：荣誉与事业。基：基础。②籍甚：名声很大。无竟：没有止境。

[译文]

荣誉和事业是人立身的基础，即使有了显赫的名声和宏大的业绩，也不能停止不前。

学优登仕① 摄职从政②

[注释]

①登仕：踏上仕途。《论语·子张》篇云："学而优则仕。"②摄职：担

任职务。

[译文]

学业优良者，可以得到官职；有了职权，就可以参与行政事务。

存以甘棠① 去而益咏②

[注释]

①甘棠：指《诗经·国风》中的《甘棠》之诗。此诗是西周初的民众追思召公的遗惠而作。召公是西周初年著名的政治家，他外出巡查时，曾在一棵甘棠树下休息，民众怀念他的恩德，就把这棵树保存下来。②去而益咏：意即召公离任之后人们还吟咏这首诗来怀念他。

[译文]

《诗经》中的名篇《甘棠》尚在，这说明从政者有突出的政绩和良好的政声，就会像西周时期的召公那样，在任时受到民众的爱戴，离任后仍然受到民众的怀念和颂扬。

乐殊贵贱① 礼别尊卑②

[注释]

①乐：音乐。这里指政治活动场合演奏的雅乐。②礼：礼仪。

[译文]

儒家的政治理念特别重视礼乐。音乐可以用来区别人们身份的贵贱，礼仪可以用来区别地位的高低。

上和下睦 夫唱妇随

[译文]

在朝廷和社会上，要做到上下和睦；在家庭中，要做到夫唱妇随。

外受傅训① 入奉母仪②

[注释]

①傅：老师。训：教诲。②奉：尊崇与传承。这两句话是指古代对于女孩子的要求。

[译文]

女孩子从懂事时起，在外边要接受老师的教诲，在家中要学习与传承维护母亲的范仪。

诸姑伯叔 犹子比儿①

[注释]

①犹子：指兄弟的儿子，或叫侄子。《礼记·檀弓》篇云："兄弟之子，犹子也。"

[译文]

对待姑姑、伯父、叔叔，要像对待自己父母一样孝敬；对待侄辈，要像对待自己的儿子一样疼爱。

孔怀兄弟① 同气连枝

[注释]

①孔怀：见《诗经·小雅·常棣》篇："死丧之威，兄弟孔怀。"前人笺曰："死丧可畏怖之事，惟兄弟之亲甚相思念。"本来是极其思念的意思，后来就以孔怀指兄弟。

[译文]

兄弟之间要互相关心、爱护，因为兄弟同是父母所生，血脉通连，就像同根同干的大树，它的枝叶是连在一起的。

交友投分① 切磨箴规②

[注释]

①投分（fèn）：志向投合、相知而定交，古文中常见此词，即交朋友之意。如吕履恒悼周稚廉诗前小序云："周子云间人，投分自广陵，别有年矣。"（见《梦月岩诗集》卷三）②切磨：切磋琢磨的缩语。原出自《诗经·国风·卫风·淇奥》篇，其中说："如切如磋，如琢如磨。"箴规：即规谏。

[译文]

交朋友要尽可能达到志趣相投，情意融洽。朋友之间要一起探讨学问，互相规谏，共同提高。

仁慈隐恻① 造次弗离②

[注释]

①隐恻：亦即恻隐，同情、怜惜之意。《孟子·公孙丑上》篇云："恻隐之心，人皆有之。"②造次：仓促、急遽。《论语·里仁》篇云："君子无终食之间违仁，造次必于是，颠沛必于是。"弗离：不离开。

[译文]

对别人要有仁慈恻隐之心。别人遇到危难的时候，不能有意逃避或袖手旁观，要尽力相救或给予帮助。

节义廉退① 颠沛匪亏②

[注释]

①退：逊让。②匪亏：不可亏缺。参见前文"造次弗离"一句注中引《论语·里仁》语"颠沛必于是"。

[译文]

节操、正直、廉洁、谦逊这些美德，在遭逢困厄或情势危急的时候更要努力做到，不打折扣。

性静情逸　心动神疲

[译文]

内心平静而安守本分,情绪就会轻松快乐;内心受外界诱惑而浮躁不安,精神就会疲惫不堪。

守真志满① 逐物意移②

[注释]

①守真:保持自然本性。《后汉书·申屠蟠传》云:"安贫乐潜,味道守真,不为燥湿轻重,不为穷达易节。"②逐物:追求物质欲望。

[译文]

保持自然纯真的本性,就会知足常乐,随遇而安;追求物质欲望的满足,就会意志动摇,见异思迁。

坚持雅操① 好爵自縻②

[注释]

①雅操:高尚的情操。②好爵:显要的爵位。縻:亦通"靡",享受。《易·中孚》云:"我有好爵,吾与尔靡之。"原意是我有好酒与你共享。这里"好爵自縻",是说好爵自然能够为你所享有。

[译文]

坚守美好的品德,保持高尚的情操,显要的爵位和优越的待遇就会降临到你的身上。

都邑华夏　东西二京

[译文]

中国古代的国都和名城,最著名的首推西京长安(今陕西西安）和东都洛阳（今河南洛阳）。

背邙面洛① 浮渭据泾②

[注释]

①邙：即邙山，在洛阳的北边，黄河南岸，又称邙岭。洛：洛河，在洛阳城南，往东流至偃师境与伊河汇合，称伊洛河，再往东至巩义东往北流入黄河。此句是说洛阳的地理位置。②渭：渭河。浮渭，是指长安城横跨渭河，好像浮在渭河上边似的。泾：泾河。据泾，指长安城北靠泾河。此句是说长安的地理位置。

[译文]

洛阳北靠邙山，南临洛水，长安横跨渭河，北临泾河，其地理位置都非常重要。

宫殿盘郁① 楼观飞惊②

[注释]

①盘郁：形容宫殿曲折深幽、宏伟美好。②飞惊：形容楼阁高耸，使飞鸟惊惧。

[译文]

皇家的宫殿巍峨壮丽，盘曲错落。都城的高楼鳞次栉比，高耸入云，飞鸟经过都感到惊怕。

图写禽兽① 画彩仙灵②

[注释]

①图写：绘画。②画彩：彩绘，"彩"在这里和"画"构成复合动词。仙灵：仙人与神灵。

[译文]

宫殿的房檐、门楣、廊柱等处，画着龙凤、鸟兽、虫鱼、花木等图案，还有神仙故事等彩色绘画。

丙舍旁启① 甲帐对楹②

[注释]

①丙舍：东汉宫中正室两旁的房屋，以次于甲乙，故称之为丙舍。《后汉书·清河孝王庆传》云："遣出贵人姊妹置丙舍。"后世也以丙舍泛指正室旁边的别室，如清代袁枚《上尹制府乞病启》一文中说："忆当年丙舍之书灯。"（《小仓山房集》外集卷五）旁启：从旁边开门。②甲帐：汉代宫中皇帝所居之帐有甲帐、乙帐的分别。《汉武帝故事》中记载说："上以琉璃珠玉、明月夜光杂错天下珍宝为甲帐，次为乙帐。"楹：门柱。对楹，是说皇帝所居之帐正对着宫中正殿。

[译文]

皇宫中正殿两旁的房屋，大门开在一边；皇帝所居的甲帐，和正殿遥遥相对。

肆筵设席① 鼓瑟吹笙②

[注释]

①肆筵设席：摆设宴席。《诗经·大雅·行苇》云："肆筵设席，授几有缉御。"②鼓瑟吹笙：演奏各种乐器。曹操《短歌行》云："我有嘉宾，鼓瑟吹笙。"

[译文]

皇宫中经常排设丰盛的筵席，皇帝用膳时要演奏音乐。

升阶纳陛① 弁转疑星②

[注释]

①阶、陛：都是指宫殿前的台阶。升、纳：登台阶而上。②弁：官员戴的帽子。疑星：好像星光闪烁。因为朝臣的帽子上镶嵌着珠玉之类的饰物，闪

闪发光。

[译文]

皇帝上朝时，文臣武将按官阶次序登上宫殿外边的台阶，依礼节朝拜天子。朝臣的官帽上镶嵌的珠宝玉饰发射出耀眼的光芒，像天上的明星闪烁。

右通广内① 左达承明②

[注释]

①广内：汉朝宫中的宫殿名，在建章宫内，为皇家藏书之处。②承明：汉代宫中的宫殿名，在未央宫内，是皇帝读书或批阅章奏的地方。

[译文]

从汉朝的宫殿规制来看，从建章宫的正殿向右，可以通往皇家藏书的广内殿；从未央宫的正殿向左，可以通往皇帝读书及批阅奏章的承明殿。

既集坟典① 亦聚群英②

[注释]

①坟典：《三坟》与《五典》的合称。《三坟》、《五典》是记载上古时期历史的典章著作，已经失传。这里以坟典代指各种历史典籍。②群英：众多英才。这里指朝廷上的文武大臣。

[译文]

汉代皇宫中收藏有包括《三坟》、《五典》在内的大量古代典籍，也聚集了天下众多的英才，在这里为皇帝效力。

杜稿钟隶① 漆书壁经②

[注释]

①杜稿：东汉书法家杜度书写的草书，大都是奏章文稿，故称为杜稿。

杜度，京兆杜陵人，东汉章帝让他用草书上章奏，后世称之为"章草"。钟隶：三国曹魏时书法家钟繇书写的隶书，称为钟隶。钟繇，颍川人，东汉末官尚书仆射，入魏官太傅，善作书法，各体皆妙，尤精于隶书。②漆书：用漆书写的经书。《后汉书·杜林传》记云："林前于西州得漆书古文《尚书》一卷，常宝爱之。"壁经：指西汉时分封于山东的鲁恭王刘馀扩建宫室，在拆除曲阜孔子故居时从墙壁中发现的一批经书，学者识辨后称之为古文《尚书》。

[译文]

东汉杜度书写的"章草"，东汉末至曹魏时钟繇书写的"钟隶"，汉代在墙壁中发现的经书，这些都是非常珍贵的历史文献。

府罗将相① 路侠槐卿②

[注释]

①府：指朝廷重臣将相们的衙署与府第。②侠：同"夹"。槐卿：指朝廷中三公九卿。《周礼·秋官·朝士》云："朝士，掌建邦外朝之法，左九棘，孤卿大夫位焉。……面三槐，三公位焉。"后来就以三槐九棘称三公九卿。

[译文]

朝廷中的文武大臣各有衙署，因官阶与等级分为三公九卿。按照周朝的礼制，在朝门外栽种槐与棘来表示重臣们的地位差别，称为"三槐九棘"。

户封八县① 家给千兵②

[注释]

①户封八县：把八个县的百姓封给某一位宗族或功臣。户，户口。八县，不是确切数字，而是泛言有很多户口之意。②家给千兵：对于分封的诸侯，允许每一位蓄养千名士兵。千兵，不是确切数字，而是泛言一定数量的军队。

[译文]

中国从夏朝起，就开始实行分封诸侯的制度，商周两代沿袭下来。诸侯在自己的封地管领若干个县的百姓，每个诸侯还可以拥有一定数量的军队。

高冠陪辇① 驱毂振缨②

[注释]

①高冠：高高的官帽，这里代指高官。辇：皇帝乘坐的马车。②毂：车轮，这里代指车辆。缨：官帽上的绒穗或飘带。

[译文]

朝廷中的公卿重臣穿着华丽的官服，峨冠博带，陪侍着国君出行或游宴。驾着四匹马的高车飞驰，臣僚们的帽子上缨穗随风飘动，无比威风而荣耀。

世禄侈富① 车驾肥轻②

[注释]

①世禄：世代拥有爵位和俸禄。古代实行分封制时，有爵位者可以世袭。侈富：奢侈而富贵。②肥轻：肥马轻裘的缩语。或作"轻肥"，如白居易有诗即题为《轻肥》。这里为了押韵而作"肥轻"。

[译文]

达官显贵们世世代代享受着朝廷给予的优厚俸禄，过着奢侈富裕的生活。他们乘豪车、骑名马、食酒肉、穿丝绸，是位居于百姓之上的统治者。

策功茂实① 勒碑刻铭②

[注释]

①策功：评定功劳。茂实：盛美的业绩。《汉书·司马相如传》中《封禅文》云："俾万世得激清流，扬微波，蜚英声，腾茂实。"②勒碑：把表彰

功绩的文刻在石碑上。刻铭：把表彰功绩或记载重要史实的文字铸在金属鼎器上。

[译文]

文臣武将们为国君出谋划策，建立功勋，国君给予他们丰厚的赏赐，或者把他们的功劳刻写在石碑上，或者把他们的事迹刻铸在金属鼎器上，让他们名垂后世。

磻溪伊尹① 佐时阿衡②

[注释]

①磻溪：水名，在今陕西宝鸡市东南，发源于南山，往北流入渭河。殷商末年姜太公在此河边钓鱼，周文王亲自前来请他出山。这里以磻溪代指姜太公。伊尹：夏朝末年辅佐商汤灭夏兴商的开国功臣。②佐时：辅佐朝政。阿衡：辅导帝王，主持国政。二词连起来，是指姜太公和伊尹这样的名臣，对于辅佐国君起着至关重要的作用。

[译文]

伊尹当初在莘耕地务农，后来辅佐商汤灭掉夏桀，建立商朝；姜太公垂钓于磻溪得遇周文王，后来辅助周武王灭商兴周。这二人都是古代最著名的宰相。

奄宅曲阜① 微旦孰营②

[注释]

①奄：周初分封在今山东曲阜的一个小诸侯国。周武王去世之后成王年幼，周公辅政。殷商余孽、殷纣王的儿子武庚等人，鼓动周公的弟弟管叔、蔡叔、霍叔等，起兵叛乱，奄国是参与叛乱的小国之一。不久，叛乱平定，奄国被灭掉。②微：假若没有，就……这是"微"的用法之一，常见用于一种和既成事实相反的假设句式之首。如《论语·宪问》篇云："微管仲，吾其被发左衽矣。"又如《岳阳楼记》："微斯人，吾谁与归？"这里是说，假若没有周

公，还有谁能够经营这样的大事呢？旦：即周公姬旦。

[译文]

周公辅佐成王的时候，平定了分封在山东曲阜的奄国的叛乱，维护了国家的统一和朝廷的威权。要不是周公的卓越才能和高尚品德，还有谁能完成这样的大事？

桓公匡合① 济弱扶倾②

[注释]

①桓公：即齐桓公，春秋时期五霸之一。匡合：聚合力量，安定天下。②济弱：救助弱小之国。扶：帮扶危急之国。这是指齐桓公称霸时曾经做过这一类的好事。

[译文]

齐桓公得管仲等名臣辅佐，成为春秋一霸，他集合诸侯的力量，扶助势弱的小国，匡定天下，树立起霸主的威望。

绮回汉惠① 说感武丁②

[注释]

①绮：汉初著名的高士、"商山四皓"之一的绮里季。汉惠：即西汉初汉惠帝刘盈。刘盈是刘邦的长子，吕后所生，被立为太子。后来刘邦宠爱戚夫人，想废掉刘盈，立戚夫人所生的赵王如意为太子。吕后用张良计策，让刘盈把声望很高的"商山四皓"请到京城长安。刘邦见刘盈仁慈有道，能使人才归附，就回心转意，不再另立太子。这里说"回汉惠"，是挽回汉惠帝刘盈的地位的意思。②说：即商朝武丁时著名的贤臣傅说。傅说原来地位低微，只是帮人筑墙的苦工，商王武丁听说他的贤能，亲自访求并破格重用了他。结果傅说建立了大功，对于商朝的强盛发挥了重要的作用。

[译文]

西汉初期，被称为"商山四皓"的绮里季等四人被请到都城长安，稳定了太子刘盈的地位，后来刘盈即皇帝位，就是汉惠帝。商朝武丁时期，他因梦中感应而在傅岩这个地方访得贤臣傅说，在傅说的辅佐之下实现了武丁中兴。

俊乂密勿① 多士寔宁②

[注释]

①俊乂：才德兼备的优秀人物。密勿：勤勉努力。《诗经·小雅·十月之交》云："黾勉从事，不敢告劳。"《汉书·刘向传》引述云："故其《诗》曰：'密勿从事，不敢告劳。'"前人在这里注解说："密勿，犹黾勉从事也。"②寔：同"实"。实宁，一定能够得到安宁。

[译文]

以上从伊尹到傅说这些事例表明，朝廷能得到道德高尚、才能出众的名臣辅佐，就能够国泰民安，天下富足。

晋楚更霸① 赵魏困横②

[注释]

①晋楚：春秋时期的晋国和楚国，这里特指晋文公和楚庄王，此二人都在春秋五霸之列。更霸：交替、轮换成为霸主。②赵魏：战国时期的赵国和魏国。横：战国时期张仪游说秦国实行的"连横"决策，即对于其他六国采取远交近攻的战略。困横，意即赵、魏等国皆为"连横"之策所困。

[译文]

春秋时期，晋国的晋文公和楚国的楚庄王先后称霸。战国时期，秦国采用张仪"连横"的战略取得成效，赵、魏等六国为"连横"的策略所困，先后被秦国灭亡。

假途灭虢① 践土会盟②

[注释]

①假途灭虢：指春秋时期晋国向虞国借道进兵灭掉虢国，得胜后的归途中又乘机灭掉了虞国。事见《左传·僖公二年》。②践土：地名，在今河南原阳西南。会盟：春秋时期诸国按约定聚在一处会谈并盟誓，对某些重大问题做出决定。在践土举行的这次会盟，是春秋时期晋国在城濮之战中战胜楚国之后举行的一次颇有影响的会盟，此后晋文公的霸主地位被周王朝认可。

[译文]

春秋时期，晋国用"假途灭虢"之计灭掉了虞国。晋文公在践土与诸侯会盟，被周天子封为诸侯之长。

何遵约法[①]　韩弊烦刑[②]

[注释]

①何：即汉初刘邦的重要谋臣萧何，汉初曾官丞相。约法：指秦汉之际刘邦向关中进军之前与诸侯约法三章。《史记·高祖本纪》云："约，法三章耳：杀人者死，伤人及盗抵罪。"②韩：即战国后期著名的思想家韩非，他所著之书即《韩非子》，其中表述了他的法家学说，主张严刑峻法。

[译文]

萧何遵守刘邦的"约法三章"，在刘邦建立汉朝的大业中发挥了重要的作用。韩非的学说中重要的内容是主张实行法制，但其弊病是使用刑罚过于严酷。

起翦颇牧[①]　用军最精[②]

[注释]

①起翦颇牧：即战国时期秦国的将军白起和王翦，赵国的将军廉颇和李牧。这四位被后世认为是战国时期著名的武将。②用军：即用兵。

[译文]

战国时期，秦国的白起和王翦，赵国的廉颇和李牧，这四位名将最精于用兵。

宣威沙漠① 驰誉丹青②

[注释]

①宣威：宣扬军威与国威。②驰誉：声誉远播。丹青：绘画，指汉朝把功臣的画悬挂在凌烟阁上予以表彰。这两句是指汉武帝时期大将军卫青和霍去病的功绩。

[译文]

西汉武帝时期，大将军卫青、霍去病多次率兵征剿匈奴，取得重大胜利，把汉朝的国威宣示于北方辽阔广大的沙漠草原。朝廷把这些名将绘成彩色画像，悬挂在功臣阁上，表彰他们的功勋，供后人瞻仰。

九州禹迹① 百郡秦并②

[注释]

①禹迹：本来是指大禹的踪迹。因大禹治水足迹遍布九州，后来就称九州大地为禹迹。《左传·襄公四年》云："芒芒禹迹，画为九州。"②并：兼并，指秦朝统一了中国。

[译文]

大禹治水历尽艰辛，他的足迹遍布全国，治水成功后，把全国划分为九州。秦始皇统一中国，废除原来的分封制，实行郡县制，在全国设立三十六郡，任命官员治理。

岳宗泰岱① 禅主云亭②

[注释]

①岳：本义是山岳，这里是五岳的简称。岱：泰山的别称，泰岱即是泰

山。②禅：封禅。封禅是古代帝王在泰山举行的祭拜天地的典礼。在泰山顶上筑土为坛祭天，报天之功，称为封；在泰山下的梁父山辟场祭地，报地之功，称为禅。《大戴礼记·保傅》云："封泰山而禅梁甫。"又《史记·封禅书》云，神农、尧舜等封泰山，禅云云；黄帝封泰山，禅亭亭。云云山和亭亭山是泰山南侧的两座小山，或合称为云亭山。

[译文]

全国的名山要数五岳，五岳当中东岳泰山最尊。相传五帝时到泰山封禅，祭地的典礼就在泰山南侧的云亭山举行。

雁门紫塞① 鸡田赤城②

[注释]

①雁门：即雁门关，在山西代县雁门山。紫塞：即长城。崔豹《古今注上·都邑》云："秦筑长城，土色皆紫，汉塞亦然，故称紫塞焉。"南朝宋鲍照《芜城赋》云："南驰苍梧涨海，北走紫塞雁门。"②鸡田：即鸡田州，唐代为羁縻边境地区的少数民族而设置的州治，在今宁夏灵武。赤城：北魏时筑北方长城两千余里，赤城是这长城上的一座军镇，在今河北宣化，清代在这里设赤城县。

[译文]

雁门关等重要关隘和万里长城，是古代北方防御异族入侵的坚固防线。唐代在西北地区设置的鸡田，汉代在北方建造的赤城，都是当时防御异族入侵的重要屏障。

昆池碣石① 巨野洞庭②

[注释]

①昆池：云南昆明的滇池，又称昆明池。碣石：即碣石山，在今河北昌黎县北，一说在中县东南的大海边。曹操的《步出夏门行·观沧海》中有"东临碣石"之句，毛泽东的《浪淘沙·北戴河》词又云"东临碣石有遗篇"。

②巨野：即巨野泽，或名大野泽，在山东巨野县北。洞庭：即洞庭湖。

[译文]

云南的昆明池波光潋滟，景色秀美；河北的碣石山可眺大海，气势雄壮；山东的钜野泽水势浩渺，一望无际；湖南的洞庭湖波涛激荡，气象万千。这四处都是全国著名的自然景观和旅游胜地。

旷远绵邈① 岩岫杳冥②

[注释]

①旷远：空旷辽远。绵邈：广阔无际。②岩岫：山岩里面的溶洞。杳冥：深邃难测。

[译文]

中华大地幅员辽阔，空旷渺远。许多名山中有幽深奇特的岩洞，里面的怪石姿态各异，神奇莫测。

治本于农① 务兹稼穑②

[注释]

①治本：治国的根本。中国自古就是一个重视农业的国家，历代主要的王朝都主张务农为本，工商为末。②务：努力做好。稼穑：种庄稼。

[译文]

古代传统的观点认为，务农为本，工商为末。对于治理国家来说，要抓住农业这个根本，务必使民众搞好农作物的种植和收获。

俶载南亩① 我艺黍稷②

[注释]

①俶载南亩：《诗经·小雅·大田》有句为："俶载南亩，播厥百谷。"这里直接借用过来。俶，开始。载，从事。南亩，南边的田野。②艺：种植。

黍稷：古代所说的五谷中的两种，以此代指五谷。所谓五谷，一般是指稻、黍、麦、菽、稷。

[译文]

春天来了，正是耕种的好季节，人们到南边的田野上，适时播种下各种农作物。

税熟贡新① 劝赏黜陟②

[注释]

①税熟：庄稼成熟了，收获之后要缴赋税。贡新：有了新的农产品要交贡。②劝赏：激厉奖赏。黜陟：降级或升迁。

[译文]

庄稼成熟的季节及时收获，缴上应该缴纳的赋税。官府要根据农户完纳的情况，给予必要的奖赏或处罚，官员们也要根据其征收赋税的情况予以降级或升迁。

孟轲敦素① 史鱼秉直②

[注释]

①孟轲：即孟子。敦素：敦厚朴素。②史鱼：即春秋时卫国大夫史鳅，字子鱼，也叫史鱼。秉直：秉公持正，这是说史鱼敢于直言进谏，在史书中留下了"尸谏"的美名。

[译文]

春秋时期，鲁国孟轲继承和发扬孔子的思想，提出"仁义"和"性善"等重要观点，他的学说具有敦厚朴素的特征。卫国的大夫史鳅为官忠正，敢于对卫灵公直言进谏。

庶几中庸① 劳谦谨敕②

[注释]

①庶几：差不多。中庸是儒家思想的核心内容，中就是不偏不倚，庸就是稳定不变。《论语·雍也》篇中说："中庸之为德也，其至矣乎！"②劳谦：勤劳谦逊。谨敕：谨慎严肃。

[译文]

孔子提倡的中庸之道，是人们立身行事应当尽力遵从的原则。要时时刻刻勤劳谦逊，恭谨小心，千万不可偏激放荡。

聆音察理① 鉴貌辨色②

[注释]

①聆音：恭敬地倾听对方说话的声音。察理：分辨对方话语中的道理。②鉴貌：观察对方的外表神态。辨色：注意辨别对方脸上的表情。

[译文]

在和他人的交往中，要仔细地聆听对方的说话，思考其中的道理；还要留意对方的表情和脸色，明确对方的意图。这是不可粗心大意的。

贻厥嘉猷① 勉其祗植②

[注释]

①贻：赠给。厥：虚词，相当于"其"。嘉猷：好办法。②祗植：恭谨处事。

[译文]

对别人要诚心诚意地给予忠告，提出正确的建议和办法，同时要恳切地勉励他谨慎处事，努力上进。这才是正确的交友之道。

省躬讥诫① 宠增抗极②

[注释]

①省躬：自我反思。讥诫：讥讽、劝诫。②宠：宠爱。宠增抗极，意思是宠爱有加时不要达到极点，要有所收敛，谨慎从事。

[译文]

受到他人的批评或讥讽，要反省自己，引以为戒，有则改之，无者加勉。取得一定的成绩和荣誉时，不要趾高气扬，得意忘形。

殆辱近耻① 林皋幸即②

[注释]

①殆：临近。②林皋：山林泽畔。幸：幸亏，正好。即：到。

[译文]

预感到耻辱和危险将要来临，要急流勇退，归隐林下，远害全身，趋吉避凶。

两疏见机① 解组谁逼②

[注释]

①两疏：指西汉时疏广、疏受叔侄二人。疏广，字仲翁，西汉宣帝时官太傅，其兄之子疏受官为少傅，任职五年后，疏广对疏受说："官成名立，不去恐有后悔。"于是上本辞官，被准许，回乡闲居。见机：从一些微小的征兆预见到某种事情将要发生。机，通"几"，语出《易经·系辞下》："君子见几而作，不俟终日。"②解组：本义是解开印绶的系带，以此形成一个固定的词组，即辞官。谁逼：本义是反问语气："谁逼迫他了？"实际意思是没有谁逼迫他。

[译文]

西汉宣帝时，疏广、疏受叔侄二人在朝廷做官，预察到某种危机就果断地辞去官职，回归故里。他们是在没有任何人逼迫的情况下主动引退的，因此他们的行为受到家乡民众的赞扬。

索居闲处① 沉默寂寥②

[注释]

①索居：平静地独居。闲处：安闲地度日。《礼记·檀弓》篇中有"离群而索居"之语。②沉默寂寥：即寡言少语，不轻易对外界事物发表意见。这里是指古时在朝做官的人退居乡里之后所坚持的生活态度。

[译文]

辞官还乡后的隐居生活，清静自在，安逸闲适。虽然显得有些平淡而沉寂，但能有一个幽静的环境和安详的心态，也是很可贵的。

求古寻论① 散虑逍遥②

[注释]

①求古：阅读古代典籍。寻论：探讨书中的道理。②散虑：排除心中的忧闷。逍遥：无所挂心，快乐而自在。

[译文]

在清静闲适的退隐生活中，阅览古今典籍，探求世间哲理和人生的真谛，也是一种美好的享受。这时，可以消除烦恼，驱逐郁闷，精神与内心达到一种超凡脱俗、逍遥快乐的境界。

欣奏累遣① 戚谢欢招②

[注释]

①欣：欢乐。奏：开始。累：牵挂，负担。遣：抛开。②戚：忧伤。谢：谢绝，引申为排除。招：招来，意思为谋取。

[译文]

在遭受挫折或身处逆境中，要尽量放宽心胸，欣然接受命运的安排，以积极向上的态度面对现实。这样，就能够抛开忧虑的心情，调整愁苦的情绪，增添生活的乐趣，营造欢乐的气氛。

渠荷的历^①　园莽抽条^②

[注释]

①渠：即是"蕖"，芙蕖，荷花的别名。的历：光鲜美丽的状态。原作"的砾"或"的礰"，如司马相如的《上林赋》有"明月珠子，的砾江靡"之句，张衡的《思玄赋》有"离朱唇而微笑兮，颜的砺以遗光"之句。后来又写作"的皪"，如苏轼诗《赵令晏崔白大图幅径三丈》有"风蒲半折寒雁起，竹间的皪横江梅"之句。②园莽：园林中的草木。抽条：树上长出新的枝条。

[译文]

夏天到了，池水中的莲荷开放出艳丽的花朵；春天到了，园中的花木长出鲜嫩的枝条。

枇杷晚翠^①　梧桐蚤凋^②

[注释]

①枇杷：一种乔本植物，结的果实可食。这里指枇杷树，而非指枇杷果。晚：指岁晚，即冬季。②蚤：同"早"。凋：树叶凋谢。

[译文]

枇杷树到了冬天依然是枝叶翠绿，梧桐树一到秋天就早早地落叶飘零了。

陈根委翳^①　落叶飘摇

[注释]

①陈根：草木的老根。委翳：枯萎、衰败。

[译文]

在严寒的冬季，草木的旧根已经腐烂，满树的黄叶随着寒风飘落。

游鹍独运① 凌摩绛霄②

[注释]

①鹍：鸟名，即鹍鸡。宋玉《九辩》有"鹍鸡啁哳而悲鸣"句，宋代洪兴祖注解说："鹍鸡，似鹤，黄白色。"从相连的下句"凌摩绛霄"来看，这里的鹍似指鹏。《庄子·逍遥游》云："北冥有鱼，其名为鲲。鲲之大，不知几千里也。化而为鸟，其名为鹏。鹏之背，不知几千里也。"由于鲲与鹍同音，古人诗文中将鲲鹏连用时，或写作鹍鹏，或以鹍指鹏。这里的游鹍，是自由游弋之鹍，也可解为自由游弋之鹏。独运：独自飞翔。②凌摩：接近，迫近。绛霄：红光烂漫的高天。

[译文]

自由自在的鹍鹏独自翱翔，凌空升腾直上红光缭绕的高天。

耽读玩市① 寓目囊箱②

[注释]

①耽读玩市："耽"与"玩"连用，意思是专心研习、玩赏。《三国志·吴志·士燮传》云："耽玩《春秋》，为之注解。"这里耽读玩市，是指东汉王充好学的典故。王充家贫无书，曾游洛阳书肆，阅看书商所卖的书籍。②寓目：经眼看过。囊箱：书袋和书箱。这里是说王充的记忆力超常，他看过一遍就记住了，就像是把书装到自己的书袋子或书箱子里似的。

[译文]

古代的有志之士读书非常刻苦。汉代的王充家境贫穷，买不起书，他在洛阳游学时就到集市上去，在书商的书摊旁边阅览，看一遍就能记住。

易輶攸畏① 属耳垣墙②

[注释]

①易輶：轻易。攸畏：所畏惧的。攸，助词，相当于"所"。②属耳：以耳附于墙边偷听。《诗经·小雅·小弁》云："君子无易由言，耳属于垣。"意思是说君子不要随便讲话，以防隔墙有耳。

[译文]

容易被轻视或被疏忽的地方，往往是很值得忧惧的事情。这就是常说的"隔墙有耳"。每当不经意地谈论他人或议论某件事情的时候，说不定在旁边就有人听见，从而惹来灾祸或麻烦。

具膳餐饭① 适口充肠②

[注释]

①具膳：准备饭菜。②适口：符合口味。充肠：充饥。

[译文]

每天的饭食只要适合口味，能够充饥，也就是很不错的生活了，不应当过分地追求满足口腹之欲，或者过分地讲究排扬奢华。

饱饫烹宰① 饥厌糟糠②

[注释]

①饫：饱食，充足。烹宰：宰杀家禽家畜，这里以烹宰代指肉食。②厌：同"餍"，饱食，满足。

[译文]

终日饱食，对于大鱼大肉也会觉得腻烦；常忍饥饿，决不嫌弃酒糟和米糠。

亲戚故旧 老少异粮①

[注释]

①异粮：不同的粮食，这里代指不同的饭菜。

[译文]

亲戚朋友或旧时相识的人到家中做客,要根据他们的年龄、性别及爱好,为他们提供所需要的饭食,热情招待。

妾御绩纺① 侍巾帷房②

[注释]

①御:侍奉。绩纺:缉麻称绩,纺丝称纺,这里以绩纺代指女子从事的各种纺织劳动。有时也称"纺绩"。②侍巾:侍候巾服之类,指妻妾对丈夫的生活照顾。帷房:夫妻居住的内室。

[译文]

古代的大户人家中,妻与妾要尽力纺线织布,缝制衣服,恪守妇道,做好家务,照顾好丈夫的生活起居。

纨扇圆洁① 银烛炜煌②

[注释]

①纨扇:用细绢做成的团扇。②银烛:明亮的灯烛之光。古代诗文中常见,如王维《早朝》诗"银烛已成行",李白《夜别张五》诗"听歌舞银烛"等。之所以称"银烛",当是古时的烛台常用银制,或者烛台白色如银,如有著名对联云:"宝鼎呈祥香结彩,银台报喜烛生花。"炜煌:灯烛明亮。

[译文]

古时候,女子手持的纨扇浑圆如月,洁白精致。厅堂里点起蜡烛,明亮辉煌。

昼眠夕寐① 蓝笋象床②

[注释]

①昼眠:午睡。夕寐:夜眠。②蓝笋:青竹皮。这里指青竹皮编制的床席。象床:用象牙装饰的床。

[译文]

白天的午休,夜间的睡眠,躺卧的地方是铺着青竹席子、镶着象牙图饰的大床。

弦歌酒宴　接杯举觞①

[注释]

①觞:盛有酒的杯。举觞即举杯饮酒。

[译文]

举行宴会的时候,弹琴奏乐,兴歌起舞,宾客们频频举杯,开怀畅饮。

矫手顿足①　悦豫且康②

[注释]

①矫手:舞动着双手。顿足:跺脚,这里是以足踏地的舞步。②悦豫且康:快乐而安康。豫,安乐、娱乐。

[译文]

宴会上的女郎轻歌曼舞,挥手顿足,和着音乐的节拍。在座的主人和宾客们兴高采烈,心旷神怡。

嫡后嗣续①　祭祀蒸尝②

[注释]

①嫡后:古代封建家庭中正妻生的长子,具有家庭爵位和财产的首要继承权。嗣续:世代继承延续。②蒸尝:祭祀。古代礼制规定,秋祭曰尝,冬祭曰蒸,见《礼记·祭统》。

[译文]

在封建社会的宗法制度下,家庭中正妻所生长子是传宗接代的嫡系，具有法定的继承权。家族中逢年过节要祭祀祖先，祭祀时要按照礼仪的要求。

稽颡再拜① 悚惧恐惶②

[注释]

①稽颡：古代礼制规定，居父母之丧时跪拜宾客之礼，要以额触地，表示极度悲痛。《礼记·檀弓上》："拜而后稽颡，颡乎其顺也。"颡，额头，或即是指头。②悚惧：害怕。恐惶：畏惧。

[译文]

古代在办父母的丧事时，对来吊唁的宾客要行跪拜大礼，称为稽颡。要表现出心怀忧惧、诚惶诚恐的神态。

笺牒简要① 顾答审详②

[注释]

①笺牒：书信。一般来说，私信曰笺，公文曰牒。②顾答：回头看并回答，这里指书信中的答复。审详：周密而全面。

[译文]

人与人之间的书信来往，语言要简明扼要，问候或答复要慎重而周密，详尽而全面。

骸垢想浴① 执热愿凉②

[注释]

①骸：骨骼，这里代指身体。垢：脏污。②执热：酷热，热得受不了。《诗经·大雅·桑柔》云："谁能执热，逝不以濯。"

[译文]

身体有了脏污要及时洗浴，受热出汗时会渴望凉爽。

驴骡犊特^①　骇跃超骧^②

[注释]

①犊：小牛。特：公牛，也指其他雄性的牲畜。这里以驴骡犊特代指各种家畜。②骇：牲畜受惊而奔跑。跃：跳跃。超：追逐。骧：奔驰。

[译文]

家庭中驯养的牲畜，如驴、骡、牛等，跳跃撒欢，奔跑追逐。

诛斩贼盗　捕获叛亡

[译文]

对于危害国家和民众利益的盗贼，以及其他行凶犯罪分子，要依法予以严惩，罪大恶极者要处以死刑。对于那些负罪逃亡的叛乱分子或其他歹徒，要依法把他们缉拿归案。

布射僚丸^①　嵇琴阮啸^②

[注释]

①布射：指吕布善于射箭，他曾在辕门射戟，劝止了袁术和刘备的一场战争。事见《三国志·吕布传》。僚丸：指春秋时期楚国的熊宜僚善于耍弄弹丸，他能够依次抛出九个弹丸，在空中运动成一个弧形，只有一个弹丸在手里，八个弹丸在空中。事见《庄子·徐无鬼》篇。②嵇琴：魏晋之际的嵇康善于弹琴，他弹奏的《广陵散》成为千古绝唱。阮啸：魏晋之际的阮籍善于长啸，他常登山而啸，声闻远近。

[译文]

中国古代有许多人各自身怀绝技。东汉末年的吕布善于射箭，春秋时期楚国的熊宜僚善于耍弄弹丸，魏晋之际的嵇康善于弹琴，阮籍善于长啸。

恬笔伦纸① 钧巧任钓②

[注释]

①恬笔:秦朝的大将军蒙恬发明了毛笔。伦纸:东汉时的宦官蔡伦发明了造纸技术。②钧巧任钓:三国时马钧智慧非凡,技艺奇巧,曾制作指南车、翻车(水车)等。《庄子·外物》篇所写的任公子善钓,曾在东海钓得一条大鱼,传为佳话。

[译文]

秦朝时的蒙恬发明了毛笔,东汉时的蔡伦发明了造纸术,三国时的马钧是历史上著名的能工巧匠,战国时期的任公子是钓鱼能手。

释纷利俗① 并皆佳妙

[注释]

①释纷:消解纷争。利俗:有利于世俗百姓。

[译文]

帮助别人化解纠纷,消除矛盾,有利于社会的和平安定,这都是值得赞扬的善举。

毛施淑姿① 工颦妍笑②

[注释]

①毛施:毛嫱和西施。毛嫱,古代著名的美女。《庄子·齐物论》云:"毛嫱丽姬,人之所美也。"前人注解《庄子》,说毛嫱是越王的美姬。西施,春秋时越国的著名美女,被用来实行美人计献给吴王夫差。②工颦:善于皱眉头。西施捧胸皱眉,引起东施效颦的故事见《庄子·天运》篇。妍笑:美丽动人的笑容。

[译文]

古代的著名美女毛嫱和西施,相貌姣好,姿容秀丽,历代为人传颂。尤其是西施,因为有心痛病而经常捧胸皱眉,使人怜爱,而她在正常的时候开颜欢笑,更加迷人。

年矢每催① 曦晖朗曜②

[注释]

①年矢:一年一年地度过,如箭之疾速。②曦晖:早晨的阳光。

[译文]

岁月流逝,像射出的箭一样,催人奋进,也使人衰老。每一天当中,日出东方,朝晖灿烂,普照大地,惠泽万物,这又使人觉得光阴是多么美好,应当珍惜。

璇玑悬斡① 晦魄环照②

[注释]

①璇玑:北斗七星中的第四颗星。宋代洪兴祖《楚辞补注》云:"北斗魁四星为璇玑。"这里以璇玑代指天上的星空。悬斡:悬挂在天空中不停地运转。②晦魄:初一无月曰晦,十五月圆而明亮为魄,这里以晦魄代指月亮。环照:月亮每月有规律地出现,周而复始,回环照耀。

[译文]

每天的夜晚,北斗星高悬,运转不停,为人们指示着方向,也指示着季节的变化。月亮圆缺变化,周而复始,清光普照人间,皎洁可爱。

指薪修祜① 永绥吉劭②

[注释]

①指薪:用手指添柴烧火。《庄子·养生主》篇中说:"指穷于为薪火传

也,不知其尽也。"据前人的解释,这个隐喻所包含的道理是说,人们手指相传,薪火不绝。祜:福祉,修祜即修福。②绥:平安稳定。吉劭:吉祥美好。

[译文]

用手指添柴烧火,一个人的手可以死灭,而众人的手可以轮换,这样,火焰的燃烧将会连绵不断。以此比喻每个人在有限的一生中要修身积福,尽到做人的责任,顺天应命,永保平安,这样,人类社会将绵延不断,代代相传。

矩步引领① 俯仰廊庙②

[注释]

①矩步:四方步。引领:伸长脖子。领,本义是指颈项。《孟子·梁惠王上》云:"则天下之民皆引领而望之矣。"②俯仰:低头为俯,抬头为仰,这里以俯仰指人的举止。廊庙:指宫廷。

[译文]

人在平时要注意外在的形象和仪表。行走时迈着稳重的步伐,坐立时保持端正的姿态,抬头低头之间,都要像在朝堂或官署应对公事时那样,既合规矩,又有风度。

束带矜庄① 徘徊瞻眺②

[注释]

①束带:系好腰带、帽带,意思是要衣冠整齐,不能在公众场合解衣敞怀,蓬头跣足。矜庄:矜持而端庄。②徘徊:来回走动。瞻眺:眺望远方。

[译文]

穿戴服饰要整齐随时,能显示其人的端庄正派形象。出行在外或在公共场所,随便走动时也行为端正,目视远方,不能左顾右盼,东张西望。

孤陋寡闻[①]　愚蒙等诮[②]

[注释]

①孤陋寡闻：出自《礼记·学记》篇："独学而无友，则孤陋而寡闻。"意思是独自学习，不向别人请教，就必然学识浅显，见闻不广。②愚蒙：愚昧无知。等：等同、等于。诮：讥笑。

[译文]

独处无友，见闻不广，就必然显得愚昧无知，只会被别人耻笑。

谓语助[①]者　焉哉乎也

[注释]

①语助：即语助词，古代汉语中称为"虚词"。

[译文]

"焉"、"哉"、"乎"、"也"这些字，是古代汉语中的语助词。

图书在版编目(CIP)数据

三字经　百家姓　千字文/王永宽注译.—郑州:中州古籍出版社,2010.1(2014.2 重印)
(国学经典)
ISBN 978-7-5348-3284-0

Ⅰ.①三… Ⅱ.①王… Ⅲ.①汉语-古代-启蒙读物 Ⅳ.①H194.1

中国版本图书馆 CIP 数据核字(2010)第 000139 号

出版社:中州古籍出版社
（地址:郑州市经五路66号　邮政编码:450002）
发行单位:新华书店
承印单位:河南大美印刷有限公司
开本:640mm×960mm　1/16　　印张:13.75
字数:170 千字　　　　　　　　印数:16 001-21 000 册
版次:2010 年 1 月第 1 版　　　印次:2014 年 2 月第 4 次印刷

定价:18.00 元

本书如有印装质量问题，由承印厂负责调换。